LA MORT DU PETIT CHEVAL

Né à Angers en 1911, Hervé Bazin appartient à une famille de littérateurs. Petit-neveu de René et petit-fils de Ferdinand Bazin, il est élevé par sa grand-mère, ne connaît que tardivement ses parents et passe une jeunesse orageuse. Après des études fertiles en incidents, il s'inscrit à la Faculté catholique de droit d'Angers, la quitte, se brouille avec les siens, part pour Paris, où il collabore à L'Echo de Paris *et à* L'Information.

En 1947, il publie des poèmes, dont le recueil Jour *lui vaut le Prix Apollinaire. En 1948 son premier roman* Vipère au poing *lui apporte la célébrité et se classe d'emblée dans les plus gros tirages de l'époque. Le même succès marquera la parution de* La Tête contre les murs *(1949),* La Mort du petit cheval *(1950),* Qui j'ose aimer *(1956),* Au Nom du Fils *(1960),* Les Bienheureux de la désolation *(1972).*

Proclamé en 1955 « le meilleur romancier des dix dernières années », Hervé Bazin a reçu en 1957 le Grand Prix littéraire de Monaco. Il est élu, en 1958, membre de l'Académie Goncourt.

« Vous le savez, je n'ai pas eu de mère, je n'ai eu qu'une Folcoche. Mais taisons ce terrible sobriquet dont nous avons perdu l'usage et disons : je n'ai pas eu de véritable famille et la haine a été pour moi ce que l'amour est pour d'autres. » Si loin de Folcoche qu'il vive désormais, Jean Rezeau n'en continue pas moins de subir, à travers ses révoltes glacées et ses illusions mort-nées, la tyrannie ancienne de la femme qu'il déteste le plus au monde. Dans l'apprentissage d'une liberté douteuse, les métiers exercés tant bien que mal, les amours sans conséquence, c'est toujours le spectre de la mère qui revient, tentaculaire et prêtant à toute chose les couleurs de la hargne, de l'amertume et de la dérision. A la mort du père Rezeau, Jean croit tenir sa revanche, mais comment humilier un être qui a le talent de rendre tout humiliant ?

La cruauté de l'analyse, le cynisme émouvant du héros et l'acidité du style font du roman de Bazin un des meilleurs réquisitoires, à la fois vif et modéré, contre un certain type d'oppression familiale.

ŒUVRES DE HERVÉ BAZIN

Dans Le Livre de Poche :

VIPÈRE AU POING.

LA TÊTE CONTRE LES MURS.

LÈVE-TOI ET MARCHE.

L'HUILE SUR LE FEU.

QUI J'OSE AIMER.

AU NOM DU FILS.

CHAPEAU BAS.

LE MATRIMOINE.

LE BUREAU DES MARIAGES.

CRI DE LA CHOUETTE.

MADAME EX.

CE QUE JE CROIS.

UN FEU DÉVORE UN AUTRE FEU.

HERVÉ BAZIN

DE L'ACADÉMIE GONCOURT

La mort
du petit cheval

ROMAN

GRASSET

A
MES ENFANTS
JACQUES
JEAN-PAUL
MARYVONNE

I

LE béret vissé sur le crâne, j'entrai. Félicien
Ladourd — le frère de cet affreux marchand de
peaux de lapins devenu une sorte de magnat du
cuir — Félicien Ladourd examinait à la loupe un
échantillon de crucifix. Il le tenait tout près de
son œil unique et le vérifiait avec une insistance
telle qu'on pouvait la prendre pour de la dévotion.
D'autres moulages du même type encombraient
son bureau. L'absence de bois donnait à tous ces
christs en attente de fidèles une allure singulière,
peu crucifiée, sportive en quelque sorte. Je
m'attendais à les voir exécuter tous, avec ensemble, les autres mouvements de la gymnastique
suédoise. Mais Félicien Ladourd n'avait aucune
imagination et se contentait d'être le très avisé et
très sérieux directeur de la *Santima*, s. à r. l., floris-
sante fabrique d'objets de piété dans laquelle

M. Rezeau, mon père, et le baron de Selle d'Auzelle, mon oncle, avaient de pieux intérêts. Présentement le borgne, d'une voix plus creuse que cette orbite où s'incrustait un monocle d'étoffe noire, émettait des doutes sur la qualité commerciale du Seigneur.

— Raté, ronchonnait-il, complètement raté ! Il n'a même pas l'air de souffrir, le pauvre homme ! Et les pieds... vous avez vu les pieds ? Ça n'a jamais été des pieds de crucifié. On jurerait qu'il fait des pointes.

De l'autre côté du bureau se tenait le chef coquilleur, la cigarette éteinte au coin d'une moue navrée. Ladourd remit sa loupe dans sa poche, reprit le crucifix, l'éloigna de lui, le rapprocha, le tourna, le retourna, côté creux, côté plein, tête en bas, tête en l'air, fronça le sourcil gauche, puis le droit, sifflota, hésita et prit soudain une décision.

— Non... finalement non. Ça ne peut pas gazer. Tant pis ! Nous sortirons notre vieux numéro 53 amélioré, en grande série. Mais tâchez de vous racheter avec notre nouvelle vierge. Il faut absolument que vous me réussissiez quelque chose qui puisse se vendre à la fois à Lourdes, à Notre-Dame du Chêne, à La Salette et à Czenstochowa. Un type intermédiaire, quoi ! Voyez ça.

A ce moment Ladourd m'aperçut.

— Tiens, c'est vous, Brasse-Bouillon ! s'écriat-il en congédiant d'un revers de main son chef coquilleur. Avancez donc. Pourquoi restez-vous dans le courant d'air ? Auriez-vous peur de vous compromettre ? Ma fabrique s'honore...

Il s'arrêta soudain, se gratta la gorge, fit une grimace comme s'il voulait avaler un mot rayé de son vocabulaire et rectifia, en me jetant un regard aigu de cyclope :

— Depuis longtemps, votre famille s'honore de... Enfin, elle met ici quelques capitaux et en retire de suffisants bénéfices. Vous pouvez donc y mettre les pieds et retirer votre chapeau.

Ma parole, Ladourd, Félicien Ladourd, frère du peaussier, ne persiflait pas. Il riait, tout bonnement. De mois en mois décidément — je l'avais déjà remarqué lors de ses rares visites au collège — il devenait plus rond, moins circonspect. Voilà qu'il me disait : « C'est vous », comme à l'un de ses employés, quitté la veille sur un négligent « Bonsoir ». Il m'appelait Brasse-Bouillon, avec la désinvolture réservée aux membres de la famille et interdite à tous tiers, à plus forte raison aux tiers d'origine suspecte. Le monde avait-il tant changé, depuis trois ans, pour qu'un Ladourd osât me traiter de la sorte ? Ni à *La Belle Angerie*, jadis, ni chez les Jésuites, on ne m'avait appris l'humilité, dont mon père assurait qu'elle était la politesse des petites gens... ou la morgue des saints. Certes, Rauvoix, le préfet d'études, nous avait mis en garde contre les nouvelles exigences du siècle et prédit les courageuses déterminations qui attendent les fils de famille point trop fortunés. Mais il prophétisait ainsi d'une voix égale au terme d'une de ses sirupeuses lectures spirituelles du vendredi soir... Il nous parlait du monde et de ses dangers, entre deux bâillements, avec la même

conviction molle qui nous inculquait les vérités
éternelles de l'Apologétique, et, je dois le dire,
avec le même succès. Dangers du monde et peines
de l'enfer, cela se valait : littérature ennuyée, réalité douteuse. De toute façon le décorum restait
sauf. « Monsieur, criait Rauvoix aux bavards ou à
quelque fumeur soufflant discrètement sa fumée
sous sa veste, Monsieur, vous aurez un *ei* de
conduite... et vous aurez un *i* si vous continuez à
vous tenir comme un ilote. » Rébarbatifs, les Jèzes,
mais déférents. Une sécheresse polie me semblait
alors beaucoup moins intolérable qu'une jovialité
cavalière. J'allais donc ouvrir la bouche pour servir quelque impertinence à ce marchand, bon
bougre au fond, mais bien légèrement choisi par
M. Rezeau, c'est-à-dire par sa femme, pour me servir d'hôte, quand un sentiment singulier vint
contredire mon humeur. L'insolence est une des
jauges de l'estime. Aurait-elle baissé, la famille ?
Si désagréable qu'elle fût à mon endroit, la chose
devait lui être beaucoup plus pénible qu'à moi-
même. Vexé, mais curieusement satisfait, je ne
sus que sourire, et ce sourire soudain devint ric-
tus. A travers la glace qui nous séparait du bureau
voisin, il me fallait bien reconnaître, à peine chan-
gée et toujours très demoiselle-qui-tapote-ses-
gammes, ma cousine Edith torturant le clavier
d'une Underwood.

Ladourd surprit mon regard et ne s'étonna
même pas de mon étonnement.

— Oui, grognait-il, je l'emploie comme secrétaire. Elle n'est pas bonne à grand-chose, mais les

Torure sont dans une situation si difficile que j'ai
cédé aux insistances du baron de Selle d'Auzelle.

Un rien, une nuance de considération, infléchit
sa voix, saluant au passage cette fortune qui continuait à tenir le coup.

— J'emploie d'ailleurs, continuait Ladourd, un
autre de vos cousins : Léon Rezeau, que m'a également recommandé votre oncle. Bien aimable,
votre oncle, mais, soit dit en passant, il pratique
le népotisme sur une grande échelle. Si je me laissais faire, il peuplerait la *Santima* de tous les
membres de votre famille qui n'ont plus de rentes
et qui n'ont pas de connaissances spéciales. Je ne
dis pas ça pour Léon, je n'ai pas à me plaindre de
lui : c'est le meilleur de nos représentants et je
songe à lui confier la direction de notre succursale
de Milan. Il a la bosse du commerce, ce garçon, et
c'est inattendu, car il a failli entrer au séminaire...
Après tout, il n'a pas changé d'article et il vend
de la bondieuserie avec une ferveur qui édifie la
clientèle... Mais quoi, Brasse-Bouillon, je vous
choque ?

Félicien Ladourd ne me choquait point : il
m'agaçait. Je n'aime trouver chez personne cette
ingratitude de l'esprit, cette manière de tourner
en dérision les gens et les choses qui vous font
vivre, surtout quand le coupable n'a pas pour
excuse l'exercice héréditaire de la condescendance. C'est un sentiment qui ne se tolère qu'à
faible dose, comme le poivre. Mais j'étais encore
bien plus suffoqué par cette révolution dont nul
ne m'avait soufflé mot et qui, en si peu de temps,

semblait avoir transformé la famille, jeté bas ses
préjugés, converti ses membres à une nouvelle
politique de vie. N'était-ce point ce même baron
de Selle d'Auzelle qui déclarait à mon père, lors
d'une de ses visites à *La Belle Angerie :* « La situation de notre sœur est alarmante, j'en conviens.
Mais je préfère la voir mourir de faim que lui
dénicher un poste d'institutrice. Mieux vaut ne
pas aider les siens que les aider à s'encanailler » ?
Et voilà que cet intraitable mettait sa nièce sur
un tabouret de dactylo, jetait dans les bras de son
neveu une serviette de voyageur de commerce !
Les bons Pères, dont la chanson assure qu'ils se
bornent à fesser et à confesser, nous avaient bien
parlé de la crise, je le répète, mais d'une façon si
suave, si chrétienne et avec un si petit *c* que je
n'en imaginais point les brusques effets. Assourdis
par les rengaines sonores des « bonnes éduca-
tions » nos tympans n'avaient pas entendu le
grand craquement des budgets disloqués et le
piétinement des légions bourgeoises en marche
vers le bureau de placement (ou, pour le moins,
enrôlées dans les dernières affaires de famille).
Tandis que j'essayais de mettre d'accord au fond
de moi cette sourde irritation et cette étrange
impression de complicité et même de revanche,
Ladourd continuait pesamment :

— Je blague, mais votre cousin a eu raison,
comme a eu raison votre père... Ah ! ce n'est pas
sans grincements de dents que votre famille se
met au pas. J'entends encore M. Rezeau me dire :
« Depuis les Inventaires, qui oserait parmi nous

porter la toque ? » Il s'est tout de même décidé à la coiffer, bien heureux d'accepter un poste de substitut de troisième classe. Si j'en crois sa dernière lettre, il regrette très fort de s'être, par pudeur, laissé expédier à la Guadeloupe, au lieu de se faire nommer à Angers ou à Segré, c'est-à-dire à proximité de *La Belle Angerie,* comme il l'avait d'abord envisagé. Je sais bien qu'il profite là-bas de la haute paie coloniale... Je sais aussi que votre mère avait des motifs personnels... Vous dites ?

Je ne disais rien. Bien au contraire : je venais de serrer un peu les dents.

— Mais cela aussi doit pouvoir s'arranger maintenant. Vous n'êtes plus des enfants. D'ailleurs, est-elle vraiment aussi dure qu'on a bien voulu le dire ? J'ai peine à croire ce qu'en racontent certains membres de votre famille.

Mes dents grincèrent légèrement, malgré moi, mais je parvins à les desserrer et à prendre un air candide.

— C'est curieux, murmurai-je. Que peut-on raconter ? Ces gens-là n'ont jamais soufflé mot tant que ma mère se trouvait parmi eux.

Ladourd haussa brusquement le cou et me dédia toute l'attention de cette prunelle solitaire, plus habile à déchiffrer les réticences d'un acheteur que celles d'un cœur fermé.

Son regard m'érafla sans m'entamer. Alors, peu à peu, la grosse tête rentra dans le col 43, s'y vissa, faisant saillir les bajoues mal rasées et cardant la toile d'avion. La paupière chut sur la prunelle et, se méprenant complètement sur le sens de mon attitude, le patron de la *Santima* reprit d'un air dégagé :

— C'est bien ce que je pensais. On exagère toujours. Les interventions qu'a subies votre pauvre mère expliquent son caractère. C'est une malade qu'il faut plaindre...

Plaindre ?... Je connaissais au moins une personne, l'intéressée, qui n'eût pas supporté ce verbe. C'est du reste pourquoi j'acquiesçai, d'un hochement de tête convaincu.

— Vous me rassurez, reprenait Ladourd — certainement chargé par M. Rezeau de tâter le terrain. — J'espère que Chiffe, votre frère aîné, est dans le même état d'esprit. Quant à l'autre.... Marc ou Marcel... enfin, celui que vous appelez Cropette...

— Marcel, rectifiai-je très vite, pour bien marquer le désagrément que me causait l'emploi de mon propre surnom. Marcel ne m'écrit jamais. Fred, non plus. Je ne sais rien de leurs sentiments depuis le jour où pour des raisons inconnues...

Pause, afin de nier l'adjectif *inconnues*.

— ... où, pour des raisons inconnues, nous avons été retirés de Sainte-Croix et dispersés dans des collèges différents. Fred est à Nantes. C'est la tante Bartolomi qui le contrôle. Marcel était à Combrée, mais, aux dernières vacances, en récompense de ses prix, paraît-il, il a rejoint la Guadeloupe et est entré au lycée de Basse-Terre. Je n'envie ni l'un ni l'autre.

« Car c'est vous, ajoutait mon silence, qui avez

été chargé de moi. Sous prétexte qu'il n'y avait personne d'autre à Angers pour tenir ce rôle, mais en réalité pour me vexer : parce que vous n'êtes qu'un étranger et, qui pis est, un peu reluisant Ladourd. Or, tout compte fait, ce choix ne me désavantageait pas tellement. En effet... (indulgence de la commissure des lèvres), tu es très Ladourd, bonhomme, mais tu es un brave type qui ne m'a guère enquiquiné. »

— Homphh, souffla mon « correspondant », réalisant une onomatopée qui n'appartenait qu'à lui seul et voulait exprimer une sorte de satisfaction bourrue, j'ai fait ce que j'ai pu... C'est-à-dire que non... J'aurais voulu vous faire sortir régulièrement, mais j'avais des ordres. De toute façon, cette situation ne peut plus durer. Votre père supporte mal la colonie. Tout le désole : sa maison abandonnée à la garde de la vieille Fine, aujourd'hui presque impotente, ses recherches interrompues, ses fils lointains qui arrivent en âge de choisir une carrière et, bientôt, un établissement...

— ... sa collection de mouches, qui s'abîme, ajoutai-je d'une voix plaintive, très réussie.

Carrière... Etablissement.... J'étais renseigné. Madame Mère ne pouvait en effet nous abandonner plus longtemps à d'incertains contrôles et aux fantaisies de notre inspiration, éventuellement sentimentale.

Il était grand temps pour elle d'effectuer son retour de l'île d'Elbe.

— Quand rentre-t-elle ? demandai-je sur un

autre ton, un peu trop brave, un peu forcé, analogue à celui du malade qui s'enquiert auprès de son chirurgien du jour où il compte l'opérer.

— Oh ! pas avant quelques mois. Il faut que votre père obtienne sa mutation. Angers est une ville très demandée.

Ladourd répéta son « Homphh ». Il n'avait plus rien à m'apprendre, sauf les décisions dictées, sans doute, par le dernier câble. Qu'allait-on faire de moi jusqu'à la rentrée ? Ladourd pelotait ses bajoues, semblait embarrassé. Enfin il se décida.

— Excusez-moi, grommela-t-il lentement, je ne vous ai pas félicité de votre succès. Il est vrai que vous ne m'en avez pas fait part. Mais votre directeur m'a téléphoné pour me l'annoncer et me dire que, votre bachot en poche, vous n'aviez plus aucune raison de rester au collège pendant les vacances... Or je n'ai pas d'instruction à cet égard et vous m'en voyez étonné. Dans ces conditions, je prends sur moi de vous envoyer au bord de la mer, dans le Morbihan. Nous avons une villa près de Damgan. Ma femme et mes enfants y restent tout l'été. En octobre... Je crois que vous devez commencer votre droit, à la *Catho*. C'est le désir de votre père. J'ignore quels sont vos goûts, mais je préfère que vous débattiez vous-même la question avec vos parents, si ce n'est fait.

A mon avis, rien n'était fait. M. Rezeau m'écrivait dix lignes par mois, toujours les mêmes : « *Je suis satisfait de tes places, mais je suis excédé de ton éternel* ei *de discipline. Ma santé ne s'améliore guère. J'ai trouvé avant-hier une intéressante*

Egerena americana. Ferdinand et Marcel vont bien. Nous t'embrassons. » (Le « nous » n'était jamais certifié conforme par la signature maternelle, dont j'avais oublié la grâce cunéiforme.) Trois mois auparavant, faisant obligeamment allusion à la chose jugée, M. Rezeau avait daigné ajouter en post-scriptum : *Fred, ayant raté Navale, fera l'Hydro. Marcel, une fois bachelier, ira préparer Polytechnique à Sainte-Geneviève. Quant à toi, si tu réussis ta seconde partie, nous* (et le « nous », cette fois, était certainement collectif) *te retiendrons une chambre aux internats de la Faculté Catholique de Droit, dont je suis toujours, tu le sais, professeur honoraire.*

— Voulez-vous voir votre cousine ? Et visiter la fabrique ?

Ladourd, les paumes écrasées sur le rebord de son bureau, hissait ses cent kilos. C'est à ce moment que j'aperçus son gilet gris, sous le veston. Un gilet tricoté, garni de huit petits boutons, dont aucun n'était déboutonné. Un gilet attendrissant, un peu bête, comme tout ce qui souligne chez un homme les attentions de sa femme. Un gilet qui, de ce ventre directorial, faisait un ventre paternel.

II

JE suis toujours celui qui n'a eu d'intimité qu'avec lui-même.

Vous le savez, je n'ai pas eu de mère, je n'ai eu qu'une Folcoche. Mais taisons ce terrible sobriquet dont nous avons perdu l'usage et disons : je n'ai pas eu de véritable famille et la haine a été pour moi ce que l'amour est pour d'autres. La haine ? Est-ce bien sûr ? Disons plutôt : je connais un petit garçon, je connais un adolescent qui forçait son talent et qui jouait au noir au temps de la Bibliothèque rose. Les enfants ne choisissent pas les jeux qu'on leur donne ; ils y jouent seulement avec plus ou moins d'entrain.

Je suis toujours, à dix-huit ans, celui qui n'a eu d'intimité qu'avec lui-même : les combattants n'en ont pas d'autre. Durant sept ans, les miens

n'ont été pour moi que des commensaux, partagés en deux factions rivales. Depuis notre séparation, mes années de collège m'ont bien fourni
l'occasion d'accrocher quelques bienveillances,
jamais aucune amitié. Les profs, les pions, les
copains, ça va, ça change, ça disparaît sans qu'on
s'y attende. On a le temps de les connaître, parfois celui de les détester, rarement celui de s'y
attacher. Au surplus, dans les institutions reli-
gieuses, les amitiés sont toujours soupçonnées
d'être particulières. Une fois seulement, en rhéto-
rique, je m'étais lié avec un certain Cyrille, fils
d'un colon russe de Madagascar. Il partageait
avec moi et cinq ou six camarades le sort peu
enviable de l'internat de vacances. Sa désolation,
blonde et suave, m'avait ému. Mais à la rentrée je
réintégrai la division des grands et lui, celle des
moyens. Il m'envoya bien quatre billets par le
garçon de réfectoire, mais le cinquième fut inter-
cepté par le préfet de discipline qui, flairant la
petite cochonnerie, flanqua Cyrille au cachot et
l'interrogea longuement pour savoir quelles mar-
ques d'affection je lui avais éventuellement prodi-
guées. Cette histoire me rendit suspect et me valut
le privilège de coucher désormais près de l'alcôve
du surveillant de dortoir. Elle me valut surtout
la méfiance des jeunes esseulés.
  Je n'en souffris guère : j'ai le cœur ainsi fait
qu'il pratique mal la politique des vases communi-
cants. Je ne protestai même pas. Certes, je n'ai
jamais été un lis, tout droit et tout blanc jailli du
cœur de son bulbe, comme ceux qui encombrent

les bras de saint Joseph, plâtre peint, numéro 196
du catalogue de la *Santima*. Mais je déteste les
corydons, au même titre que la fausse monnaie, et
ce n'était pas une mince ironie que de jouir, moi,
de cette réputation au milieu d'une armée de
petits branleurs qui s'en allaient communier tous
les dimanches. Bien entendu, j'avais mes perver-
sions : du moins étaient-elles authentiques. Les
rares occasions que j'ai eues de sauter le mur avec
quelque argent en poche furent exploitées du côté
de la rue de Chartres, toujours arpentée par quelques dodues Bretonnes. D'autre part, j'avais mon
roman de tête, je veux dire : un rêve organisé,
bien construit, bien enchaîné, interminable
comme ces films à épisodes où renaissent mira-
culeusement d'increvables héros. Très longtemps,
pour ce motif, je pus dédaigner les lectures qui
sont l'imagination d'autrui. Quels contes pouvaient rivaliser avec ceux que je me récitais à moi-
même, dans ma langue, et dont j'étais à la fois
l'auteur et l'acteur ? Ce fut d'abord une véritable
épopée, genre « Aventures d'un gamin de Paris »
(en relation directe avec mes connaissances géo-
graphiques). Puis la maison d'édition de mes
rêves changea de sujets. Je me tirai des côtes une
série de petites Eve malpropres. Elles ont un nom
générique : les Madeleine, nullement en raison
de la réputation professionnelle de la sainte, mais
en souvenir d'une véritable Madeleine, cette petite
vachère à qui mes quinze ans avaient fait l'honneur de quelques séances d'à-plat-dos-mignonne
dans les bois de *La Belle Angerie*. Les Madeleine,

je m'en vante, ne m'amenèrent point à ce que les sociologues appellent poétiquement : « l'onanisme pour la succube ». Elles trouvaient d'ailleurs, toujours en moi, leur contrepartie : Jeanne, c'est-à-dire l'intouchable, mon respectable féminin.

Jeanne, Madeleine... thèmes éternels, fort peu originaux, immiscibles comme l'huile de foie de morue et l'eau bénite.

En toutes choses, ainsi, j'étais manichéen. Blanc et noir. Je contre moi. Fiction, bien sûr, et comédie ! Amusements d'un gamin solitaire qui n'a plus l'occasion de se rendre intéressant aux yeux de ses « ennemis » et cherche à se rendre intéressant à ses propres yeux. Mais aussi tendance naturelle à décomposer tout ce qui est binaire, à trouver en toute paire non l'association mais le duel, à faire de la vie une partie de main plate, au besoin droite contre gauche, soi contre soi. Hypocrisie des contraires, équilibre instable en forme de balance — dont on peut fausser les poids, — corbeau et colombe, cynisme et candeur, agressivement bec à bec sur le même perchoir... Je trouve en moi le meilleur argument contre cette philosophie, d'ailleurs hérétique, qui représente l'homme comme naturellement bon.

Je ne me flatte pas en ce moment, je le sais. Je suis en veine de confession, encore que j'aie depuis longtemps oublié le chemin qui conduit au petit volet tiré dans l'ombre par l'aumônier arthritique. Je n'aime pas tellement la franchise, mais il m'arrive d'aimer l'étalage, et en cela je suis bien de mon siècle. Je ne déteste pas non plus la compli-

cation. Je ne suis pas simple. J'ai toujours pensé
que la simplicité (et ce siècle le pense aussi) était
proche parente de la pauvreté d'esprit. *Beati pau-
peres spiritu...* fi donc ! C'est une pauvreté dont
nul n'a jamais fait vœu. La seule insoutenable
parmi les quatre calamités qui font les hommes
pauvres d'esprit, pauvres d'argent, pauvres de
chair ou pauvres de cœur.

Pauvre de cœur... voilà pourtant la vraie, la
pire misère. La pire, parce que la plus tenace : la
volonté permet de cultiver son esprit, d'acquérir
de l'argent, de soigner son corps. Elle est bien
moins efficace contre la misère des sentiments,
surtout quand celle-ci est héréditaire.

Je songe à trois hérédos. A mon frère, Fred, dit
Chiffe, pauvre caractère de plomb, fondu, coulé
une fois pour toutes dans la lingotière de l'apa-
thie. A Marcel, dit Cropette, lent et secret, pâle
protégé de Madame Mère. A ce petit braillard de
Brasse-Bouillon, qui prétendait avoir choisi la
révolte.

Quelle révolte ? Celle qui court le long de votre
vie comme le feu le long d'un cordon Bickford,
qui ne sait allumer que des coups de tête, de pauvres et bruyants pétards ? Ou celle qui fait sauter
le dynamiteur et le dynamité ? Ou encore celle
qui se contient et devient la meilleure auxiliaire
de la justice ? On ne se révolte pas seulement
contre des êtres, mais contre tous ceux qui leur
ressemblent, contre les idées qui les soutiennent.

On ne se révolte jamais complètement quand on n'a point cessé de se révolter pour son propre compte et surtout quand on ne s'est point révolté contre soi-même. Mais ceci, dès lors, comme dirait l'autre, devient une révolution.

III

ENTRE *Ker-Fleurette* et *7-A-C*, deux odieuses bico-
ques, la villa des Ladourd faisait preuve d'un certain bon goût. *Les Armérias*, annonçait la plaque
d'émail. Cent mètres carrés de jardinet n'en
offraient point la moindre touffe, mais les briques
de la façade en arboraient le rose fatigué et s'har-
monisaient avec l'azur local, cette nappe lavande
trouée de blanc, avec les ocres discrets de la
falaise dégringolant vers l'anse de Kervoyal, avec
ce mélange de gris rouillés et mouillés qu'est une
plage bretonne à marée basse. Six fenêtres grandes ouvertes reniflaient cette brise de terre, venue
au petit trot des lointaines landes de Lanvaux, où
se réfugie, dit-on, le dernier couple de loups.

Narines frémissantes et poil hérissé, je figurais
assez bien leur louveteau lorsque je me présentai
à la porte de la bergerie, le 24 juillet 1933. Une

demi-douzaine de caleçons de bain séchaient,
empalés sur les pointes de la grille béante. Je vis
bien une clochette rongée· de vert-de-gris, mais
trop haute et dépourvue de ficelle. Je grimpai
cependant sur ma valise et parvins à l'atteindre :
elle rendit un son vague, aigrelet, aussi réticent
que moi-même. Mais aussitôt les six fenêtres se
garnirent de bras nus, d'indéfrisables et de sourires bien aiguisés.

— Entrée libre ! jeta une voix pointue, une voix
de mouette.

Je n'eus pas le temps dé traverser le jardin, jon-
ché de filets à crevettes. A mi-chemin du perron,
je fus entouré par un toupillement de jupes, pour
la plupart écossaises ; je dus m'arrêter, piétinant
parmi le gravier et les exclamations, nettement
gêné par cet accueil démonstratif, par cette sura-
bondance de mains tendues comme des palmes sur
le passage du Seigneur. Pour corser l'affaire, un
garçon solennellement enturbanné d'une serviette
éponge se campa devant moi et, sur le mode de la
poule qui crételle, poussa triomphalement le cri
de ralliement, le cri du clan : Mic-mic-mic-mic-
mic-mic-micou ! Digne rejeton d'une famille qui
passe tout au crible du ridicule, je ne pus m'empêcher de sourciller. « Sympathique, mais un peu
cucul, la smalah peau de lapin. » Je touchai deux
ou trois mains, les plus larges, au jugé, en esquissant le même nombre de courbettes. Puis je balbu-
tiai dignement :

— Mesdemoiselles... Monsieur... Je suis Jean
Rezeau. J'ai l'honneur de...

— Oh ! là, là, ricana le garçon, tandis que les filles, interdites par mon cérémonial, m'accablaient de « vous », pépiés entre deux rires.

— Si vous voulez vous donner la peine d'entrer ! proposa l'une d'entre elles, pliée en deux et secouant une tignasse rousse.

Ma dignité sombrait dans l'effarement. Raide comme dindon au milieu de souples pintades et secouant mon rouge à leur intention, je fis trois pas vers le perron. « Tu as l'air idiot ? Il fallait te mettre à leur portée », susurrait le grand philanthrope qui m'habite. Par bonheur l'éphèbe au turban intervint.

— Altesse sérénissime, il ne faudrait pas vous foutre du monde. Le « tu » est de rigueur ici. Vous, les donzelles, alignez-vous par rang d'âge... Moi, je suis Samuel, l'aîné, vingt ans, je prépare l'Agro. Voici Michelle ou Micou, dix-neuf ans, et l'ébouriffée Suzanne, dix-sept. Cette molle chandelle s'appelle Cécile : elle a quinze ans et demi. Et demi, c'est important. Nous tombons ensuite dans la catégorie junior : Jacqueline, onze ans, Rose, six, et Madeleine, deux. C'est tout pour l'instant...

— C'est largement suffisant ! fit une voix nouvelle.

Mme Ladourd faisait son apparition... Peu majestueuse, l'apparition, drapée dans un peignoir mauve effiloché, traînant de molles babouches et couronnée par une auréole de bigoudis d'aluminium. Les mains sur le ventre et le ventre sur les cuisses, elle venait à moi, sans se presser. Le même soleil qui faisait sécher les filets fournit de maigres feux à ce tout petit diamant monté en tourbillon, à ce diamant pour rire qui révélait à tout venant qu'au temps de ses fiançailles elle était couturière. Mais elle me saisit aux épaules avec autorité, m'attira contre elle, m'embrassa d'une façon sonore, me prit ensuite le menton entre le pouce et l'index, me fit pivoter la tête à droite, puis à gauche, m'examina longuement et conclut :

— Piteuse mine, jeune bachelier ! Je parierais volontiers que tu as des glandes dans le cou.

Elle les chercha et les trouva. Une de ses paupières battit, comme pour voiler la lueur brève qui s'allumait dans ses yeux. L'autre se releva sur une prunelle étonnée de s'apercevoir de ma gêne, pour elle incompréhensible et aussitôt attribuée à la timidité. A la timidité !... Son sourire le disait clairement, son sourire me faisait enrager, tandis que j'incrustais mes ongles dans des paumes que rendait moites la certitude d'avoir été expédié par Félicien Ladourd dans une autre planète.

— En principe, la maison est bonne, continuait la grosse dame. Rappelle-toi que tu me dois deux kilos : c'est mon tarif. Tu pourras me dire « ma tante » : ce sera plus gentil. Je suis affreusement mère poule.

— Mic-mic-mic-mic-mic-micou ! précisa Samuel, pour la seconde fois.

Ces Ladourd me stupéfient. Que sont-ils au juste ? Des naïfs ? Des hypocrites ? De petits

saints ? Des faibles ? S'agit-il d'un genre édifiant,
d'un quiétisme destiné à séduire un de ces Rezeau,
partisans bien connus de la nuance janséniste ?
Comment des gens, qui sont apparemment toujours d'accord ou seulement en faible désaccord
sur des vétilles, peuvent-ils ne pas s'ennuyer ?
Comment peuvent-ils néanmoins meubler leur
maison de tant de cris ? Car elle reste sel et sucre,
leur intimité. On s'embrasse constamment chez
les Ladourd et pas du bout des lèvres. On s'y cha-
maille aussi beaucoup : simple ping-pong de mots,
court échange de petites méchancetés en celluloïd.

C'est en vain que j'observe ces disputes, stop-
pées par une larme mieux que Matamore par la
première goutte de pluie. Comme ils ont tous la
caroncule fragile, l'humeur leur tient lieu de
colère, et il est hors de doute que, seul, le Larousse
pourrait les renseigner sur le sens du mot *rage*,
mot clef de ma jeunesse.

Au bout de huit jours, je me rends à l'évidence :
ces Ladourd sont noués les uns aux autres comme
un bouquet de violettes par un brin de raphia,
et ce à quoi ils tiennent par-dessus tout est ce
brin de raphia. Quant aux violettes, elles sont un
peu pâles, un peu dépourvues de parfum et ne donnent pas toujours l'envie de les renifler. Il est
vrai que ce n'est pas la caroncule, c'est le nez qui
dans la famille Rezeau est l'organe le plus sensible. Nous avons le nez placé trop haut, comme le
roi Ferrante, et facilement incommodé par l'odeur
d'autrui.

Au bout de trois semaines, ma sympathie

s'ébranle, lourde, lente, réticente, louchant sur ses
arrières : on n'accepte pas si vite un nouveau
mode de vie. Celui que l'on me propose me semble
assez fadasse. A dix-huit ans, on m'apprend l'enfance, cette enfance que je n'ai jamais vécue et que
j'ai si longtemps considérée comme une infirmité,
comme une faiblesse livrée aux muscles des
parents. A dix-huit ans on m'apprend le jeu. Le
jeu ! Le jeu défini dans mon souvenir par cet
impératif : « Allez vous amuser ! Aujourd'hui
vous gratterez l'allée du pont. » Qu'est-ce que le
jeu pour ceux qui n'ont pas connu la joyeuse gratuité du geste, mais ont dû lui donner son sens
propre, sa vertu défensive ? Demande-t-on au
guerrier de venir jouer à la petite guerre ? N'est-ce
pas déchoir que tomber de la réalité dans le simulacre (j'ignore encore que le simulacre guérit souvent de la réalité) ? « Ah ! petite bouche ! » peut
s'écrier Samuel, qui me voit tiquer au milieu d'une
partie de « petits papiers ». Petite bouche, en effet,
pincée par la condescendance. Il faut avoir l'appétit du plaisir. En face de ces carnivores de la
gaieté, je suis un végétarien.

— Edirne, Ecommoy, Eton...
— Et ton frère ! Raie, Cécile. Samuel l'a déjà
annoncé.
— Ephèse, Ephraïm...
— C'est une tribu, ce n'est pas une ville, glapit
encore Suzanne.
J'interviens, docte et froid :
— C'est même la tribu du bon Samaritain.
Rayez... Heu ! raie, Cécile.

L'hésitation a tout détruit. Les voilà qui se trémoussent sur leur chaise, tirent leur jupe ou refont leur nœud de cravate.

Rien de pire qu'un ennuyé pour vous foutre à tous ce petit rhume de l'ennui dont la toux discrète est installée dans ma gorge. Pas marrant, le cousin adoptif ! Arrivera-t-on à le civiliser ?

Au bout d'un mois, je suis enfin au diapason. Du moins, je le crois, et j'arrive à le leur faire croire. C'est tout juste si ce n'est pas moi qui donne le *la*. Toujours en tête pour galoper à la ferme, sauter dans l'eau froide ou partir à l'assaut de quelque dune. Je fouette la mayonnaise comme un bon bougre, j'enfonce les piquets des lignes à plies, je prépare les pelotes de vers, je braille *La Paludière*, le soir en me couchant près de Samuel, tandis que les filles de l'autre côté de la cloison torturent le refrain ; je dors assommé par ma propre santé, je dévore leur pain frais, le pain frais de leur spontanéité. Le leur, pas le mien. En fait, je ne suis devenu ni plus loquace, ni plus vivant ; je me contente d'une exubérance mécanique.

Je m'acharne à la joie, incapable de comprendre que j'en épuise rapidement le principe et la vertu.

— Ce pauvre garçon se rattrape, glousse la mère poule à son époux, qui s'est octroyé huit jours de vacances et qui encombre la plage, énorme, hérissé de roux, remontant sans cesse son caleçon qui roule au-dessous d'un nombril noueux.

— Ne l'emmerdez pas trop, grommelle le borgne.

— Oh ! mon ami...

Ladourd a raison. Il y a des moments où j'étouffe, où je ne supporte plus leur sollicitude. « Où es-tu ? À quoi penses-tu ? Mon petit bachelier n'engraisse pas vite... Tiens, je t'ai tricoté un maillot... Moi, je te ferai un pull... Amène-toi, que je te photographie... Tu sais, maintenant, on ne te laisse plus tomber... Tu devrais écrire à tes frères... Et ta mère, dis, ta mère, c'est vrai que ?... »

C'est vrai que j'ai envie de respirer seul. Jadis, à *La Belle Angerie*, j'allais chercher mon oxygène à l'extrême pointe d'un taxaudier : à cette hauteur-là, plus vif et plus dangereux, ce n'était pas celui de tout le monde. C'est si vrai qu'à deux reprises, brusquement, j'éprouverai le besoin de les planter là et m'en irai droit devant moi. Ma première escapade ne sera pas remarquée. Mais la seconde, qui se prolongera tout un après-midi dans les champs de goémons, au-delà de Penderf, plongera tout Kervoyal dans la consternation. Quand je réapparaîtrai au bas de la falaise, tous les Ladourd dégringoleront en hâte le raidillon, viendront me palper des mains, des yeux et de la voix.

— Qu'est-ce qui t'arrive ?... Comme tu nous as fait peur !... Maman est aux cent coups.

Je ne m'expliquerai point : de quoi aurais-je l'air ? Je raconterai une petite histoire : il arrive qu'on s'endorme au pied d'un rocher, dans le sable tiède. Les filles se contenteront de cette fable. Samuel sourira discrètement, flairant quelque aventure ; la « tante », plus perspicace, me glissera dans l'oreille :

— Monstre, va ! Tu te reposais de nous.

Félicien Ladourd, lui, ne me fera aucun reproche. Il attendra de se trouver seul avec moi pour me dire, de ce ton bourru que je commence à apprécier :

— Quand tu auras envie de t'isoler un peu, préviens ta tante. De cette façon, elle ne s'inquiétera pas... Non, tais-toi, je te comprends très bien. Tu sens le renfermé, tu es de la race de ceux qu'il est dangereux d'aérer trop vite... Parfois, comme aujourd'hui, va faire le point, à l'écart. Il ne faut pas trop te greffer sur nous. Nous ne sommes pas destinés à vivre éternellement côte à côte. Tout ce que nous pouvons t'offrir — et je crois que ce n'est pas rien — c'est une sorte de transfusion de sève...

Marchand d'idoles, es-tu donc aussi marchand d'idées ? Je ne déteste plus ta moue humide qui s'allonge comme une limace.

— Plus tard, tu comprendras peut-être la chance qui t'est donnée aujourd'hui. Je ne voudrais pas être prétentieux : ce n'est pas du tout le genre de la maison. Mais tu sais ce qu'il y a d'inscrit sur le socle de notre 144, cet affreux saint Jean Baptiste pour église de campagne : « Aimez-vous les uns les autres. » Je suis idiot, hein ? Mais, vois-tu...

Et ta voix sombrera, gros poussah, dans un tremolo :

— C'est notre petit luxe. Nous y tenons. Je ne voudrai pas que tu copies une attitude, quand il s'agit d'un climat.

LA MORT DU PETIT CHEVAL   35

Au bout de deux mois, je n'avais point fait d'autre escapade. J'étais encore ainsi fait que toute permission de la tenter m'ôtât le goût de la moindre aventure. Par ailleurs, j'étais en train de suivre la seule cure applicable aux jeunes solitaires.

Il est temps, en effet, de parler d'un autre aspect de ces vacances : mon irruption dans un gynécée. Ces bras lisses, ces jambes nues vivement croisées et décroisées sous les robes courtes, ces oignons de jacinthe perçant les chandails enchantaient mes regards, à peine sournois. Je frémissais, parmi ces féminités proprettes et chiffonnières. Le louveteau flairait les agnelles. Par quelle aberration le prudent Ladourd me livrait-il les siennes, à domicile ? En me casant pour trois mois, cultivait-il l'arrière-pensée de me caser pour la vie ? Il est beaucoup plus probable que mes dix-huit ans le rassuraient. Et sans doute aussi cette sauvagerie qu'il attribuait toujours à la timidité.

Sa femme, malgré ses antennes, perdait en ce domaine ses facultés de clairvoyance. S'il existe pour les mères une prétendue grâce d'état, elle s'arrête aux frontières de leur maternité ; elle devient sainte ignorance ou plutôt parfait oubli, puisqu'elles ont connu aussi, jadis, chez d'autres garçons, cet embarras de langue, ces fuites de la prunelle, cet énervement des phalanges dont leurs filles déchiffrent immédiatement le sens.

Place à prendre et socle prêt : j'ai beaucoup d'estime pour les dames qui ont de la décision et qui se réputent elles-mêmes pleines de grâces.

A moi de juger, certes, mais on ne juge bien qu'en débattant, et même en se débattant contre l'emprise de ce qu'on aime... ou de ce qu'on hait. Allons, petites ! qui se décide ? Michelle, Suzanne ou Cécile ? Gentiment carrossées, vous pouvez toutes, à première vue, faire l'affaire. Si je ne fais point la vôtre, c'est un aspect secondaire du problème : cela aussi peut se débattre ou se combattre. Le plus inquiétant, c'est que, si vous n'êtes, de toute évidence, point des Madeleine, il semble non moins évident que vous n'êtes pas des Diane. Mais, toute réflexion faite, on peut tenter, avec des doublures, une répétition générale. On peut, on doit : ne serait-ce qu'à titre sportif, pour essayer mon charme... Ce charme Rezeau qui n'a rien de suave, ce charme qui nourrit son reptile.

La bonne vieille mentalité, les bons vieux symboles, nous les retrouvons là, pétillant de malice et dardant leur menace au milieu de vos joies. Te souviens-tu, Folcoche, ma petite mère, du temps où je t'offensais de mon seul regard, planté dans tes prunelles ? Nous appelions cela une *pistolétade*. En voici une autre, presque innocente et combien plus facile !

Lorgnées, ces demoiselles éprouvent, je le vois bien, ce léger frisson qui est la première impureté des filles. Elles ne sont certainement pas disposées à faire trempette dans la première émotion venue, elles n'ont rien du saule, mais, romantiques à vingt-cinq pour cent par vocation ordinaire des pucelles, elles savent ce qu'elles doivent à Delly, à *Lisez-moi Bleu* et aux épilogues des films américains. Je les intrigue. Donc, je les intéresse. C'est tout. Aucune coquetterie de leur part, aucune habileté. Nous avons, elles et moi, les cils très lourds. Il ne se passe rien. Il ne se chante rien. Mais ce qui se dit, d'elles à moi, n'a plus tout à fait le même cristal. Camarades, toujours. On se force.

Bien entendu, j'ai ma préférée. L'aînée, cela va de soi. Les très jeunes gens, quand ils ont à choisir entre plusieurs filles (ce qui est rarement le cas), élisent généralement la plus âgée. Ainsi parviennent-ils à se vieillir, à se donner un gage de virilité, à l'inverse des vieillards qui cherchent à séduire des tendrons beaucoup moins par vice que dans l'espoir de se rajeunir à leurs propres yeux. Micou prend donc la tête de liste. Pas plus. De toute façon, dès que mes intentions auront pris un contour plus précis, ni Suzanne, ni Cécile ne se trouveront éliminées pour autant, mais seulement mises en réserve. Je ne plaisante pas. Ma vie disposera longtemps de celle des autres et tout engagement pris en dehors de moi me semblera une sorte de trahison envers le possible, envers mon possible, quels que soient les engagements que j'aie pu prendre moi-même par ailleurs et qui ne lieront à mon sens que leurs bénéficiaires. Je ne suis pas pour rien un enfant de bourgeois : le monde peut se contenter de nos restes, qu'il s'agisse de femmes, de terres ou d'argent. Mais, chut ! ne le répétez pas : ce sentiment essentiel du clan, ce sentiment dont les

transfuges eux-mêmes ont tant de mal à se
défaire, ce sentiment est le plus inavoué, le moins
officiel : il y a même un tas d'institutions dont
le rôle est de vous empêcher d'y croire, en orga-
nisant cette prodigalité des restes qui s'appelle
la charité.

J'avais ma préférée, dis-je. Suzanne, vraiment,
se coiffait trop mal. Ses taches de rousseur, sa
voix de mouette et ses grands pieds la désavan-
tageaient. Nullement combative avec ça, mais
seulement châtaigne, agaçante, toute en bogue :
une de ces filles qui ne sont savoureuses qu'une
fois cuites, je veux dire : éprises. Quant à la molle
et longue Cécile, elle était vraiment bien jeune,
bien pruneau, bien gnan gnan. Je me souviendrai
longtemps de son dos rond qui lui donnait l'air
d'être accrochée dans l'espace et auquel ses quinze
ans de porcelaine semblaient pendre, comme une
poupée à un clou.

Michelle, c'était autre chose. Et comment ! A
première vue, on ne l'eût pas dit, il fallait la
connaître, et pensez si je la connaissais depuis
soixante-deux jours ! Elle avait des prunelles d'un
bleu très pâle : nuance layette. Ni brunes ni
blondes, ses tresses lui faisaient deux fois le tour
de la tête : elle se refusait obstinément à se
couper les cheveux, comme ses sœurs, et avait
horreur des indéfrisables. Ses chevilles, ses poi-
gnets, son cou, sa taille, très minces, contredi-
saient son ascendance. Mais sa peau légèrement
duvetée en faisait l'aveu : on pouvait même parler
de poil sur les avant-bras et sur les jambes. Très

journalière, elle était ravissante ou quelconque :
son visage un peu anguleux (disons mieux : très
dessiné) ne tolérait aucune déformation, donc
aucune fatigue, aucune peine. Bref, la fille qui
sourit bien, mais qui pleure mal, la beauté qui
a besoin d'être heureuse. En parlant, elle inclinait
volontiers la tête du côté gauche et suçait légèrement ses mots. Peu de poitrine, mais palpitante :
un savant l'eût immédiatement classée dans le
type *respiratoire,* celui des grandes amoureuses
qui jouent facilement du sternum.

Par bonheur, ce détail se trouvait compensé
par un menton sec et une colonne vertébrale
inflexible. Vouée à la romance, elle ne l'était pas
au mélodrame, ni au flacon de sels.

Il existe un proverbe italien qui peut se tra-
duire ainsi : *Pour accrocher Marie, feins d'accrocher sa sœur.* Sans connaître ce proverbe assez
dur pour la vanité des femmes, je le mis en
pratique : on a de ces intuitions, à dix-huit ans.
Micou remarqua très vite mon insistance à me
placer auprès de Cécile. Je m'aperçus aussi vite
qu'elle l'avait remarquée : rien qu'à sa façon de
tirer l'aiguille ou de casser son fil en recousant
un bouton. Mais elle se rendit bientôt compte que
mon insistance était négligente et sut m'en avertir
par une imperceptible ironie de la commissure
des lèvres. Puis ce petit jeu l'agaça. Elle n'avait
point à satisfaire une tradition familiale qui,
malgré la puissance de nos ressorts, en confie
l'échappement aux petits rouages de la rouerie.
Du rétrécissement de paupières au « Zut,

alors ! », en passant par de sonores impatiences
du talon et ce port de tête incliné analogue
à celui du chat-qui-voit-le-chien-boire-son-lait,
Michelle fit donner les nerfs. Enfin, quand la
plaisanterie lui parut suffisante, sacrée petite
Minerve ! elle attaqua. Pas une chaise à mes
côtés qu'elle ne proclamât à la cantonade « réservée au flirt de Monsieur » ! Impossible de sortir
avec Cécile sans entendre :

— Hé, vous autres ! On peut se compter jusqu'à trois ?

Micou prononçait « voussautres » et, s'emparant de mon bras gauche, me remorquait
vivement, tandis que l'autre mollasse traînail-
lait à mon bras droit.

Un soir, enfin, j'émis la prétention d'aller chercher le beurre à la ferme, seul.

— Laissez, mes enfants, laissez votre cousin,
fit la tante, fidèle à nos conventions.

Je pris mon temps. Comme je revenais, rumi-
nant des pensées obscures, j'aperçus Micou assise
au pied d'un calvaire situé à peu près à mi-chemin
de Kervoyal. Malgré l'heure avancée, elle tricotait
avec un beau zèle et ne leva pas le nez à mon
approche. Mon ange gardien me souffla aussitôt :
« Je ne sache point que tu l'aies convoquée, cette
dame ! Le crépuscule tombe, poétique à souhait,
mais en tout cas fort sombre. Il se pourrait que
tu ne l'aies point vue. Saute le talus, mon garçon,
et prends à travers champs. Si l'on te rappelle... »

— Jean ! cria Micou.

Ce jour n'est pas forcément une date. Mais qui, je vous le demande, pourrait bien en convaincre ce petit couple qui revient en balançant les mains, qui s'arrête au sommet de la falaise et semble offrir à quelque camera deux ombres chinoises bien détachées ? Deux ombres stupides, pures à dégoûter le metteur en scène, incapables du rite que suggère le couchant rouge comme un énorme baiser. Deux ombres pourtant si aériennes, si complices de l'heure et de toute la terre ! Archange en espadrilles, pour cinq minutes, et peut-être damné pour toute la vie pour ces minutes, je n'ai rien à dire ni rien à penser. Très loin devant moi, la mer et le passé se retirent jusqu'au prochain jusant. Très loin devant elle, fraîchit ce peu de vent qui respecte sa jupe écossaise et porte à l'horizon une dernière mouette. Quel est donc l'imbécile qui parlait d'essayer son charme ? N'est-ce pas lui qui se trouve essayé ? Nous pouvons rentrer, lents et furtifs. Pour moi, sinon pour elle, ce jour est bien une date.

IV

LE lendemain, mes vacances s'achevaient brusquement. Nous déjeunions quand arriva la lettre hebdomadaire de Félicien Ladourd, depuis longtemps retourné à ses plâtres. La tante lut tout haut, d'une voix navrée :

« *Les parents de Jean désirent expressément qu'il assiste à la retraite préparatoire des étudiants au prieuré Saint-Lô. Il faut donc qu'il soit rentré dimanche soir au plus tard pour être présent à l'ouverture des exercices lundi matin. A leur issue, il ira s'inscrire à la Faculté Catholique de Droit. Mme Rezeau fait remarquer que les inscriptions sont gratuites pour un fils de professeur, même honoraire.* »

— Toujours la même, cette satanée Folcoche ! fis-je très haut.

— Jean, protesta Mme Ladourd, j'admets bien des choses, mais pas les grossièretés.

Je ravalai aussitôt ma langue. La tante, Micou, Samuel, tous faisaient monter vers moi une prière de prunelles. Par pudeur, par politesse et parce que, vaguement averti de mon infirmité, je ne tenais pas à l'exhiber, je m'abstenais depuis deux mois de toute violence verbale à l'égard des miens. En fait d'idées, les Ladourd étaient (comme la plupart des êtres) capables d'admettre et même d'adopter celles d'autrui sans les juger ; ils n'étaient point aussi souples en fait de sentiments. Ce qu'ils n'avaient pas eux-mêmes ressenti, ils ne pouvaient le comprendre que par opposition, par inversion de leurs valeurs ou, plus exactement, en les changeant de signe. Une telle compréhension, comme toutes les compréhensions qui ne viennent pas de l'expérience, mais d'une simple opération de l'esprit, restait une appréhension. Cette grosse dame qui miaulait : « J'admets bien... » n'admettait rien du tout. Elle reconnaissait un fait, elle l'excusait dans ses causes, elle en refusait la terrible logique. Une logique inverse... ô suprême scandale ! Douces et confortables cervelles ! « Ma brave femme, si votre logique vient du cœur et non du cerveau, pourquoi voulez-vous que la mienne s'appuie sur les parois de mon crâne et non sur l'arc-boutant de ma sixième côte ? » Cependant, je m'expliquai :

— Le Droit ne me dit rien. Je ne serai ni avocat ni surtout magistrat. Vous me voyez sous la toque,

avec la bavette au cou ? Il faut vraiment trop de
candeur ou d'aberration pour faire un juge...

— Allons, allons ! reprit Mme Ladourd, ne t'en
prends pas à ton père, maintenant. Si tu as fait
un autre choix, dis-le. Mais y as-tu vraiment réfléchi, depuis ton bachot ?

Silence. Voilà trop d'années que j'étais habitué
aux réponses mentales et tout le monde n'était
pas ma mère pour deviner ce langage. Ce silence
disait : « Il y a longtemps que je sais ce que je
veux. La seule école où j'ai envie de m'inscrire,
c'est l'Ecole de Journalisme, à Lille. A vrai dire,
je préférerais entrer tout de suite dans un journal,
pour me faire la main et surtout acquérir l'indépendance financière, source de toutes les autres.
Malheureusement, je connais les opinions de mon
père. *Le journalisme mène à tout, à condition
d'en sortir : mieux vaut donc ne point y entrer.*
Ou encore : *Un Rezeau ne s'occupe pas des chiens
écrasés.* Dans cette famille qui a compté une douzaine de plumitifs, dont le grand, l'intrépide René
Rezeau, un journaliste fait figure de parent pauvre. Avec la tête de cochon que l'on m'attribue,
non sans quelque raison, Dieu sait dans quelle
salle de rédaction je serais capable d'aller traîner
mes guêtres ! Fournir des armes à cet énergu-
mène, merci bien ! Le Droit, rien de tel pour
redresser les esprits faux. Faire son Droit, ressource des incertains. Faire son Droit, « comme
on fait ses dents de sagesse ».

— Y   as-tu   vraiment   réfléchi ?   insistait
Mme Ladourd.

Mieux valait déclarer forfait, acquérir la demi-liberté des étudiants. Plus tard, j'aviserais.

— Je vous avoue que je n'ai pas eu le temps d'y songer.

— Ah ! conclut la simili-tante, c'est gentil pour nous, ce que tu dis là.

Lors, commença la scène des adieux, compliqués de recommandations, d'objurgations et d'exclamations diverses. Je me laissai attirer contre le peignoir mauve de Mme Ladourd et ne sortis de ses bras que pour tomber dans ceux des filles, qui s'avançaient l'une derrière l'autre pour suçoter les pommettes de l'exilé. Micou, bonne dernière et reniant un peu son sourire, ne m'embrassa pas. Tact que j'appréciai : en faire moins, dans certains cas, c'est en faire plus. Samuel se contenta évidemment du vigoureux cinq-en-cinq des garçons, mais résuma l'opinion de tous :

— Bien entendu, dès que nous serons rentrés, c'est-à-dire d'ici une quinzaine, j'espère qu'on te verra à la maison.

On m'y verra probablement. Mais ce n'est pas absolument sûr. Dans le train qui roule vers Nantes, vers Angers, il y a cette fille en tailleur rouille, plantée au beau milieu du couloir. Une Madeleine, à n'en pas douter. Age imprécis : mettons vingt ans. Elle a, sans doute par économie, conservé sa fourrure de fillette : deux putois, purement décoratifs, rejetés symétriquement par-dessus les épaules. On jurerait que ces professionnels de la sai-

gnée de lapin sont en train de lui sucer les caro
tides. Cœur de bouche, dessiné ou plutôt tartine
au rouge Prisunic. Du même Prisunic, entre les
seins et postés là pour garder un passage trop
fréquenté, Ric-et-Rac en matière plastique. Indéfrisable blonde à racines brunes. Ongles vernis,
mais non assortis aux lèvres : les deux rouges se
chamaillent. Le bout des doigts, lardé de coups
d'aiguille. Le bout des seins presque visible sous
le chemisier transparent. Le bout de l'oreille fleuri
de celluloïd. Elle aussi, d'ailleurs, m'observe.
J'imagine ses pensées, gratuitement : « Complet
fatigué, mais bien habité. Petite gueule dure à la
Kid. Un bourgeois, ce gamin-là : il a des gants
dans sa poche. Un type qui n'a pas mauvais goût,
qui s'intéresse à moi : si le regard pouvait mouil-
ler, je serais trempée de la tête aux pieds. Peigné
avec un clou, comme tous les novios ! » (Novio,
c'est un terme que vient de lui apprendre l'auteur
du roman à 3,50 F qu'elle tient à la main. L'Anda-
louse aux yeux bleus, ou les mystères de la jalousie
espagnole.) Elle tourne la tête, franchement, une
fois, deux fois, trois fois... Je souris. Elle sourit.
Alors ?... Jivati ? Jivatipa ?

Non, je n'irai pas. Certes, ce n'est pas Micou qui
m'empêche d'y aller. Micou ne m'est rien. Serait-
elle mon œil qu'un satellite de cette médiocrité ne
saurait l'empêcher de briller. Les satellites, pour
une femme comme pour un astre, ça fait plutôt
honorable, ça donne une idée grandiose du Créa-
teur. Je n'irai pas... Mais, si je n'y vais pas, bien
que le tailleur rouille vienne de se retourner pour

la quatrième fois, c'est uniquement parce que j'ai un sentiment très vif de la décence. Appelez cela comme vous voudrez, moi, j'appelle cela de la décence. La nuit va bientôt tomber et hier, à pareille heure, j'étais sur la falaise.

V

JE le connais bien, ce pied-de-biche. Je le connais,
ce prieuré de Saint-Lô. Quand nous habitions rue
du Temple avec grand-mère, avant le retour de
Madame (le premier retour, car nous sommes,
hélas ! menacés d'un second), je passais devant la
grille tous les matins en allant à l'école, et la sœur
tourière se méfiait de mes traîtreux coups de sonnette. Je la vois encore, coiffe au vent et rosaire
bruissant, crier derrière mes galopades : « Je vous
tirerai les oreilles, petit vaurien ! »

Si étonnant que cela paraisse, cette tourière n'a
pas changé. Je croyais pourtant que la Règle impo-
sait aux sœurs grises (comme aux gendarmes) de
fréquents changements d'affectation. Elle a beaucoup vieilli, mais la verrue cicéronienne qui orne
son nez ne permet pas le doute. Elle m'ouvre la
porte avec un empressement froid, économise ses

mots en me saluant du menton et, sans même me
demander mon nom, me précède dans le silence,
poussant devant elle sa cuirasse d'amidon et cet
excès de jupes qui rase le sol et lui cire le talon.
Nous débouchons bientôt dans le jardin, ratissé
au peigne fin, planté de tilleuls aux branches régu-
lières comme des candélabres. Des groupes discrets, qui chuchotent à peine, y déambulent lentement. La tourière s'arrête et, toujours avec le menton, me désigne un banc.

— Votre frère est déjà là, dit-elle.

Elle s'éloigne dans un murmure d'étoffe. Mon
frère ? Lequel ? Et pourquoi ? Fred, sans doute,
soumis à la même formalité pieuse. Mais comment l'a-t-elle deviné ? l'a-t-elle reconnu ? Eton-
nante sagacité conventuelle, précision du regard
aiguisé à l'abri des cornettes ! Cependant j'examine le dos rond, les tempes plates pourvues de
grandes oreilles et de crin noir. Le nez, toujours
tordu à gauche et traversé de petits reniflements
inutiles, oscille à trente centimètres des derniers
mots croisés de Renée David. Sacré vieux Frédie !
Ni lui ni moi, ni aucun Rezeau, n'avons jamais été
démonstratifs, mais lui et moi, tout de même,
nous avons été assez alliés pour être un peu fran-
gins. Une petite chaleur glisse le long de mes vei-
nes.

— Hé, la Chiffe !

Ferdinand se retourne, mais ne tique pas. Ce
n'est pas le genre de garçon qui s'étonne facilement, mais j'aurais aimé trouver une brève lueur
dans ses prunelles, noyées d'ennui sous l'arc

affaissé des sourcils. Il ne se lève pas, se contente de me tendre une main molle, comme s'il m'avait vu la veille.

— Salut, fait-il. Décidément, ce n'est pas une retraite, c'est un rallye de famille. Il y a aussi Max Bartolomi et ce petit nabot d'Henri Torure.

Puis il s'étire, pointe un bout de crayon mâchonné vers sa *grille*.

— Tu parles d'une vache, reprend-il. *Remplit les lavabos et vide les baignoires*, en huit lettres... Je te le donne en mille.

Je retiens sur le bord de mes lèvres une foule de questions importantes. Comme jadis, il semble bien qu'il n'y ait point pour cet indifférent de questions importantes, hormis les futiles.

Gras, luisant, bien tenu, mais avec cette négligence de cravate et de boutons qui trahit son homme, mon frère n'a plus rien du maigre chacal d'antan. Il ferait plutôt dogue de parade, paisible et sans abois. Il tire la langue, la fait claquer, triomphe.

— Eh bien ! mon petit père, c'est *entracte !*

Je souris, je le retrouve, toujours très Chiffe, satisfait de la minute et insouciant de la suivante, installé dans le provisoire. Entracte ! Cet entracte de trois ans ne l'a point changé. Le rideau bouge et il n'en sait rien. Je ne le trouve guère préparé pour le second acte. Tandis qu'il bâille, je lui souffle :

— Tu sais qu'ils reviennent ?

— Oh ! d'ici là...

Mais, soudain, il reprend, tout à trac :

— Il s'en est passé des choses, depuis leur départ !

Va-t-il se déboutonner, enfin ? Va-t-il se souvenir ? J'aimerais savoir, s'il le sait, ce que sont devenus les Vadeboncœur, Traquet et autres précepteurs. J'aimerais savoir ce qu'il pense *aujourd'hui* de la pistolétade, de la belladone et du petit bain d'Ommée. J'aimerais parler du bon vieux temps... Disons : de l'époque héroïque, de cette excitante jeunesse, mieux vécue que cette banale adolescence, de cette bagarre, après tout soldée par une espèce de victoire. Mais non, Fred ne veut pas s'en souvenir. Il ne m'expliquera rien, ne m'apprendra rien que d'insignifiant.

On mange bien chez la tante Bartolomi. Cropette a été reçu au bac avec la mention très bien. Lui, Fred, chausse maintenant du 44, comme feu Marc Pluvignec, frère de notre mère. A propos des Pluvignec, grand-père vient de lui envoyer cent balles malgré son échec à Navale. (Il a de la chance, car moi qui viens de réussir mon bac, je n'ai même pas reçu une lettre de l'ex-sénateur. A propos de galette, M. Rezeau est horriblement chien : jamais un sou d'argent de poche. Ça la fout mal, le dimanche, quand Fred sort avec ses copains. A propos de copains, Max Bartolomi ne vaut pas tripette. Il est pourtant très drôle...

— Tu sais, enchaîne hardiment mon frère, que l'Oncle est mort.

L'Oncle, avec un grand O pour le différencier des nombreux autres, c'est René Rezeau, cela va de soi. Bien entendu, je n'ignore pas qu'il est mort, je l'ai même appris grâce à une lecture spirituelle du supin, qui a résumé durant une heure sa vie et son œuvre et terminé son homélie en me souhaitant publiquement de lui ressembler.

— Je suis allé à l'enterrement, avec Max. La tante m'a fait tout exprès revenir de Nantes. L'Oncle était mon parrain, et je représentais Papa, à titre d'aîné.

A titre d'aîné, Fred se rengorge. C'est une distinction qu'il revendiquera toujours et ne légitimera jamais, exactement comme M. Rezeau parle de son autorité. Mais voilà ce fameux aîné qui change de ton, se claque les cuisses et pouffe, sans se soucier de la retenue qu'impose le décor.

— Ce que nous avons pu rigoler, ce jour-là !... Max !... Tu le reconnais, c'est ce grand type qui a l'air empalé sur sa colonne vertébrale... Le pot à tabac, près de lui, c'est Henri. Amène-toi, Max, et raconte à mon frère le coup des « dernières paroles ».

Les cousins s'approchent. Cousins... la généalogie m'apprend qu'ils sont tels et, de ce fait, bons à tutoyer. Dans la rue, je leur aurais donné du monsieur. Ces étrangers, je les ai vaguement aperçus une fois, lors du jubilé du défunt. Ils portaient alors la culotte courte. Aujourd'hui, longue perche et courte massue, ils s'avancent avec dignité en surveillant leur pli de pantalon. A trois pas, ils stoppent, singent un garde-à-vous. Puis ils me serrent la main avec la fausse bonhomie de rigueur, et Max, tout de suite lancé, débite sa petite histoire.

— Oui, figure-toi que la veille de l'enterrement, à Angers, j'étais dans l'escalier de la maison mortuaire, lorsque est arrivé le reporter du *Petit Courrier :* un débutant, timide et très impressionné par l'importance des gémissements et la dimension des premières couronnes. Il n'osait s'approcher de personne et, finalement, par hasard, s'est adressé à moi : « Monsieur, je suis chargé de faire un article nécrologique. Une colonne au moins, à la une... Ne pourriez-vous pas me donner quelques indications, me citer un détail, une parole inédite... Je suis au *Petit Courrier* depuis huit jours et je ne voudrais pas manquer cette occasion... » J'allais l'envoyer sur les roses, quand une inspiration m'a traversé et je lui ai dit, d'un air dolent : « Je ne suis que le neveu et je n'ai pas assisté à ses derniers moments... Mais, si ça peut vous être utile, il paraît... on m'a dit... que peu avant de mourir il avait répété le mot de Barrès : « *Mieux vaut une belle mort qu'un bel enterrement.* » Là-dessus, je lui fais un petit laïus, j'enveloppe la chose, je noue la faveur. Ah ! mon ami ! Le type jubilait, griffonnait, trépignait de joie. « Historique, monsieur, historique ! Merci beaucoup. » Et le lendemain, dans le *Petit Courrier*, toute la phrase en manchette ! Et les tantes qui murmuraient sous des voiles comme ça : « Ça n'est pas vrai, il n'a pas dit ça. » En effet, il avait dit, le pauvre, une heure avant la fin : « Si seulement je pouvais pisser un peu, ça me soulagerait bien. » Le comble, ç'a été la péroraison de l'évêque, qui avait dû lire le journal avant de monter en chaire. Sa Grandeur, en les roulant comme d'habitude, nous a laissé tomber : « ... et dans son humilité prrrofonde, ce grrrand homme mourrrut en murrrmurrrant : *Mieux vaut...* »

Max plie en deux son double mètre, s'esclaffe. Fred, d'un pouce enthousiaste, déporte son nez vers la gauche. Henri Torure reste réticent. Je ne sais pas pourquoi, mais je comprends son malaise. Il est plus facile de se moquer d'un vivant que d'un mort. Je me suis gaussé, naguère, de la vénération dont la famille entourait sa « brosse à reluire » et je ne vais certainement pas changer de camp. Mais si les respectueux passent du côté des rieurs, je préfère ne plus être ni l'un ni l'autre. Ce Max, qui a cessé de rire, mais continue à gloser au sujet du « vieux crabe », c'est le même Max qui doit se fourrer les pouces aux entournures du gilet quand un quidam lui demande s'il est bien le neveu de l'académicien. Les vins d'honneur de la famille commencent à tourner au vinaigre, mais dans cet état ils serviront longtemps à conserver les cornichons.

— Riez, riez, dit Henri, presque agressif. La disparition de l'oncle n'en reste pas moins une grande perte. Depuis sa mort, la famille se décompose.

— Non, rétorque Max, elle se modernise. Nous étions vraiment trop vieux jeu.

N'intervenons pas. Cette discussion, d'ailleurs vite éteinte, ne m'intéresse pas. Au fond, tous deux sont bien de la même couvée et séparés par de simples nuances de caractère. Max ignore qu'il est dans la bonne tradition : celle du dénigrement interne, que nous avons toujours pratiqué et qui n'a rien à voir avec la révolte. Se moderniser, pour lui, c'est secouer le cocotier, se débarrasser des personnes périmées, non des principes ni des apanages. Ce n'est pas s'installer dans de nouvelles positions, mais dans de nouvelles places.

Au fait... j'en connais un autre, sous ma peau, qui s'est aussi opposé à des personnes et qui éprouve soudain l'impression d'avoir frappé à côté. Impression fugitive, du reste, vite effacée par le souvenir de mes défis. Au surplus, une soutane traverse le jardin.

— Tout le monde est arrivé. Je crois, messieurs, que nous pouvons nous rendre à la chapelle.

En voilà pour une semaine. Du Guide de la Bonne Retraite à la Méthode de Mgr Clairsaint, en passant par les Exercices de saint Ignace, nous connaissons l'affaire. Ces trois années de collège n'ont été qu'une longue retraite. Messe quotidienne, prières avant et après l'étude, avant et après chaque cours, avant et après chaque repas, chapelet pendant le mois de Marie, salut pendant le mois du Sacré-Cœur, billets de confession, cours d'instruction religieuse, lectures spirituelles. Chaque dimanche, le grand jeu : messe de communion, grand-messe, vêpres, salut et complies. Dix jours de retraite pour tout le monde. Retraite des communiants. Retraite des bacheliers. Enfin, avant la dispersion, grande et suprême retraite des philos, prêchée par ce fameux Mgr Clairsaint, spécia-

liste du genre et de la vocation obtenue à chaud...
Non, vraiment, je n'éprouvais pas le besoin de
subir ce nouvel assaut de rabâchages. Quelle effi-
cacité particulière peuvent-ils avoir sur trente fils
de famille qui ont appris par cœur l'Apologétique
et qui se trouvent là, parce que leurs parents les
y ont envoyés, parce que cela se fait, parce que les
jeunes gens ont besoin du prédicateur comme du
maître à danser ou du professeur d'escrime ?

— Quel pif ! murmure Max, lorgnant le révé-
rend qui monte en chaire, précédé par son nez.

— *Don du Seigneur*, en cinq lettres ? s'enquiert
Ferdinand.

En voilà pour une semaine. Fred installe ses
mots croisés entre deux pages de la méthode
qu'on vient de lui remettre. Max finira par écrire
des vers sur la couverture. Sauf Henri et deux ou
trois volontaires qui entretiennent le ronron de la
pieuse mécanique, chacun suppute le nombre
d'heures qui le sépare de l'office de clôture. Pour
ma part, je médite vaguement. Non, certes, selon
les plans de cette méditation dirigée, pour moi
trop proche de la méthode Coué. Mais selon mes
directions particulières qui sont, alternativement,
parallèles à la route de Damgan ou à celle de *La
Belle Angerie* !

La Belle Angerie l'emportera. Il est vrai que tout
le mérite en revient à cette carte postale qui représente précisément le « château » et au dos de
laquelle M. Rezeau a griffonné ces lignes :

   « Mes chers enfants,

   « Brusquant notre retour, nous sommes arrivés hier. Comme je n'aurai pas ma nouvelle voiture avant mardi, je ne puis aller vous chercher. Prenez dimanche soir le car de Soledot. Vous ferez à pied le dernier kilomètre. Bonne retraite et à bientôt. Rezeau. »

VI

COMME nous arrivions à la barrière blanche, la pluie et la nuit tombèrent en même temps. D'ordinaire, les pluies craonnaises sont hypocrites, faites de froides et lentes pulvérisations qui délaient à la longue les glaises les plus compactes. Mais cette ondée, en quelques secondes, fit crépiter les feuilles mortes, remplit la double rangée d'ornières du chemin, transperça nos imperméables. Le vent s'éleva, nous poussa de biais, essaya de nous chasser comme il chassait les corbeaux de la prairie, les déportait, désarticulant ces grands accents circonflexes prêts à tomber sur les voyelles du patois local. A son gémissement particulier, je reconnus le chêne de saint Joseph ; puis, à l'onctuosité de la boue, l'allée des platanes. Malgré l'averse, je fis un saut jusqu'à l'un d'eux et je passai la main sur le tronc, à hauteur d'homme.

Mais je ne trouvai l'un de mes V. F. du temps passé que vingt centimètres au-dessous, et cela m'apprit combien j'avais grandi. L'inscription s'était élargie, s'était entourée de bourrelets...

— Idiot, tu t'amènes ? cria Fred.

Je le rejoignis à dix pas de la maison, dont les girouettes tournaient à plein régime et dont les gouttières se gargarisaient bruyamment.

La porte du perron était verrouillée et la lanterne d'accueil traditionnellement destinée à guider les hôtes nocturnes n'avait pas été allumée. Mais les persiennes de la salle à manger dressaient deux peignes de lumière. Je les secouai violemment.

— Eh bien, quoi ! Vous ne pouviez pas faire le tour ? cria une voix péremptoire, jamais oubliée.

Et la porte d'honneur, après trois reculs de targettes et un long grincement de serrure, s'ouvrit sur ce nouveau cri du cœur :

— Je vous en prie, ne vous secouez pas comme des chiens mouillés.

Elle, je veux dire notre mère, brandissait très haut la grand lampe à pied de marbre vert dont l'orbe de clarté lui semblait réservé. Lui, je veux dire notre père, blanc de sourire et de moustaches, les paupières fripées et papillotantes, chiffonnait sa serviette entre ses doigts. L'autre, je veux dire notre frère, se tenait en retrait, long et discret, si long et si discret qu'il m'apparut démesuré comme l'ombre d'un pieu au crépuscule.

— Essuyez vos pieds, fit-Elle.

— Entrez, entrez, mes enfants ! fit-Il avec une réticente allégresse.

— Bonjour, fit l'Autre, employant cette voix nouvelle qui avait changé d'octave, mais non de timbre.

Nous ne fûmes pas baisés sur le front, nous n'eûmes pas droit à la petite croix que notre père traçait jadis avec le gras du pouce et notre mère avec la pointe de l'ongle. Sans doute, avions-nous passé l'âge. Le trio, dans l'ordre précité, nous tendit trois mains, ornées de trois chevalières d'or aux armes de la famille. La dernière, celle de Marcel, fit loucher Fred, héritier présomptif.

— Oh ! s'étonna-t-il.

— Prime pour la mention *très bien*, daigna expliquer Mme Rezeau dans cette langue économe qui traduisait par de légères inflexions le mépris que lui inspirait l'échec de Fred et la condescendance qu'il convenait d'adopter envers ma pauvre mention *bien*.

Le vent secouait la porte, dont Madame Mère, de sa main libre, repoussa les targettes, une à une. Nous retirions déjà nos imperméables quand, jaillie de la porte de la cuisine, débaula soudain dans nos jambes cette sorte de bonne vieille chienne en jupons, qui nous palpa, nous huma, nous accabla de mamours poilues et de rauques interjections. C'était la vieille Fine, notre sourde-et-muette. Comme je ne comprenais plus rien à son *finois*, à ses gestes et à ses onomatopées, je ne sus que l'embrasser. « Bonne leçon pour les messieurs-dames ! » murmurait en moi ce

souffleur qui ne perd jamais ses droits. Bonne
leçon pour moi, aussi. Pauvre chère vieille Fine à
qui je n'avais jamais pensé ! Voilà qu'elle disait...
Mais oui, le *finois* me revenait peu à peu... Cette
vive rotation de l'index autour du menton : *souvent*. Ce coup de paume dans le front : *penser*. Ce
retour de l'index au creux de ma poitrine : *à vous*.
Ecœurée par ces basses effusions, Mme Rezeau
haussait les épaules, nous tournait le dos en grin-
çant :

— Elle n'est vraiment plus bonne à rien. Elle
était déjà sourde, maintenant elle commence à ne
plus y voir. Dès que j'aurai une autre bonne, j'en-
verrai Fine à l'hospice.

— Oui, précisait mon père avec une candeur
féroce, depuis quarante ans qu'elle sert la famille,
elle a bien mérité de se reposer.

— Il ne fait pas chaud dans ce couloir,
conclut Marcel. Si nous achevions de dîner...

Cinq minutes plus tard, nous achevions en effet
de faire honneur au menu, toujours spartiate, de
La Belle Angerie. Après la soupe aux poireaux et
les œufs à la coque, Fine, se cognant à tous les
angles de table et servant presque à tâtons, apportait le compotier chargé de cinq demi-poires. Mes
yeux commençaient à se réaccoutumer aux bien-
faits du pétrole. La grande tapisserie, orgueil de la
famille, pourrissait lentement entre des boiseries
friables, offrant aux mites la grelottante idylle
d'Amour et Psyché. Les peintures écaillées, le dal-

lage verdâtre, les meubles ternis par l'humidité, les
appliques rongées de vert-de-gris et les landiers
dévorés par la rouille hurlaient à l'abandon. En
ces provinces du brouillard, comme sous les tropi-
ques, tout se délite très vite, tout devient salpêtre
et champignon. L'air même semblait corrompu et
la lampe incapable d'offrir aux murs autre chose
que des plaques de lumière moisie.

Le protocole n'avait pas été respecté. M. Rezeau
trônait à la place du chef de famille, en face de
Madame. Mais Marcel était assis à la droite de
Dieu, je veux dire : de la précédente personne.
Fred et moi avions échoué aux bouts de table.
Mince détail, mais symbolique. Aveu et préface de
la nouvelle politique. Ainsi mieux placé pour me
taire et observer, je laissais mes regards aller de
l'un à l'autre. Lui n'avait pas sensiblement
changé : il était seulement plus effondré, plus
voûté, vraiment vieillard et surtout soumis jusqu'à la racine du poil, devenu complètement blanc,
sans doute en guise de drapeau. Elle non plus
n'avait pas changé, sauf de peau. Ni empâtée, ni
desséchée, ni ratatinée en pomme de reinette,
cette peau. Mais craquelée, fendillée à la mode des
poteries d'art et laissant déjà quelque crasse s'y
incruster. Moins agressif, le menton n'annonçait
plus guère les méchancetés que ses lèvres semblaient mieux retenir. C'était désormais la garde,
la pointe du dernier carré. La patte-d'oie se divi-
sait en cinq branches comme la main, et le regard,
faute de mieux, partait encore comme une gifle.
Mais quelle était donc cette petite lueur brasillant

par instants au fond des prunelles vertes ? Quelle
était donc cette petite lueur — satisfaite, intéressée, amusée... je ne saurais dire — qui les illumi-
nait pendant quelques fractions de seconde, quand
elles se posaient sur Marcel ? Ainsi les inventeurs
(pendant des heures, eux, et avec de plus lourdes
complaisances) arrêtent-ils leur regard sur leur
grand œuvre, mortel ou bienfaisant, bombe au
phosphore ou fil à couper le beurre. L'autre ne
s'en occupait pas ou ne s'en doutait pas. Il exis-
tait, il était tout lui-même, il respirait toute la
pièce, il nous ignorait avec une superbe discrétion,
il occupait largement son silence. Ce type parlait
avec les épaules, sans les hausser, et de toute évidence ne supporterait même plus ce genre de discussion le jour où ces épaules seraient complétées
d'épaulettes. Fils de sa mère, délibérément et par
choix plus que par vocation. Fils de sa mère plus
qu'elle n'était mère de ce fils et, comme tel, moins
sûr de ses combats que de ses annexions, de ses
droits que de ses privilèges : ce qui est, au demeurant, une fort belle définition du bourgeois. Fort,
en un mot, fort comme l'inertie du mouvement et
ne tenant de son père qu'une once de soumission,
sous la forme d'une soumission à sa propre force,
canalisée une fois pour toutes entre l'écluse de
l'intérêt et l'écluse du principe. Mention très bien
pour toute la vie et en toutes choses, myopie comprise. Excellent Cropette ! Comme je le pénétrais
bien, maintenant, son air pénétré !

— Alors, fit soudain M. Rezeau, tu t'es décidé,
mon gros, tu fais ton Droit, tu suis les traces de

ton père ? Je suis content, je suis bien content de
te voir si raisonnable.

Je faillis sursauter. M. Rezeau se pourléchait et,
sans plus de manières, plantait un dernier chicot
dans sa demi-poire. J'avalai un morceau de la
mienne, en éprouvant l'impression d'avaler un
bulletin de vote au pays de la liste unique. Ma
« décision » était du même ordre. Mais à l'incons-
cience succédait la mauvaise foi.

— Ça m'étonne, disait notre mère. Généralement, il ne sait jamais ce qu'il veut.

Négligente, elle se mit à peler sa demi-poire,
embrochée au bout de sa fourchette, en tira de
fines épluchures et la coupa en six morceaux qui,
un par un, s'en furent périr au même endroit de la
bouche, un peu à gauche, sous la dent d'or. Cette
exécution terminée, Mme Rezeau laissa tomber
cette seconde appréciation, toujours négligente :

— Et je ne parle pas de Ferdinand... Celui-là
sait peut-être ce qu'il veut. Mais, ce qu'il veut,
c'est de ne rien faire.

— N'exagérons rien, tout de même, protesta
faiblement notre père.

Une simple pression de la prunelle le réexpé-
dia dans son assiette, d'ailleurs vide. Puis
Mme Rezeau, définitivement négligente, se mit à
parler de timbres antillais avec Marcel, de tarifs
maritimes avec Marcel, du dernier article du
Figaro avec Marcel, tandis que celui-ci, d'un bras
condescendant, réglait la circulation de la carafe
d'eau. Agacé, je me souvins de certain exercice,
j'essayai la pistolétade. Peine perdue ! On ne jouait

plus. Il ne s'agissait plus de jouer, mais de déjouer. Le regard de Madame Mère se fit aérien, léger comme phalène, papillonna devant le mien, monta au plafond, alla se brûler du côté de la lampe et revint se poser doucement en face d'elle sur la corolle de cristal de son verre, où il se métamorphosa soudain, pour repartir droit devant lui, raide comme balle, accompagnant la voix qui décrétait :

— Allons nous coucher. *Vous connaissez vos chambres...* Je suis fatiguée. A demain.

Vous connaissez vos chambres !... Elle nous parlait ainsi qu'à des invités ! Elle s'éloignait, sur une simple inclination de tête. Elle ne jugeait même pas utile de tirer sur la longe de son seigneur et maître, qui se levait précipitamment, qui bredouillait encore plus vite :

— Nous sommes fatigués. Bonne nuit, mes enfants ! N'oubliez pas votre prière du soir.

Marcel, lui non plus, ne jugeait pas utile de nous épier. Indifférent à nos réactions, il repoussait sa chaise, nous lançait un « bonsoir » très creux et se hâtait, à larges pas lents, de rattraper sa mère pour lui prendre des mains la lourde lampe à pied de marbre vert.

— Elle les a bien mis dans sa poche, la vieille ! murmura Fred, sidéré.

C'est alors que je m'aperçus qu'ils nous laissaient froidement dans la nuit. Mais ce détail me servit. Là-bas, au bout du couloir, au bas de l'escalier, Mme Rezeau, ne nous voyant plus et ne se croyant plus visible, laissait tomber ses épaules,

se tassait, s'accrochait au bras de son benjamin.
Trahis par un écart de lumière, ses cheveux
avouèrent un instant leur métal : beaucoup d'aluminium dans ce laiton. La vieille ? Depuis dix ans
que nous disions « le vieux », elle n'avait pas
mérité l'adjectif, pire que le « Folcoche » périmé.
Ces cheveux blancs, ce refus d'une petite bataille
de prunelles et notre élimination même qui était
un refus d'un plus grand combat... oui, *la vieille !*
Adopté.

Adopté sans enthousiasme. Je ne suis plus d'âge
à charger les sobriquets d'un sens magique. Je
sais aussi que les règnes séniles sont les plus longs
et les plus durs. Le grand-père est toujours gaillard, l'arrière-grand-mère continue à s'éteindre.
Notre mère ne fait qu'entrer dans cette interminable vieillesse des Pluvignec, famille de sarments.
Cette vieillesse-là n'abdiquera jamais. Au surplus,
il y a quelque chose qui ne va pas. De mon côté.
Ma fureur, qui m'apparaît légitime, m'apparaît
aussi futile, ou lointaine. Je pense peut-être :
superflue. On ne vit pas deux fois le même grand
amour. Serait-il impossible de revivre une grande
haine ? J'essaie de croire que le mépris l'a remplacée. J'essaierai vainement de m'en persuader et
vainement de m'endormir, recroquevillé sous les
maigres couvertures de mon lit, dans ma chambre
sans feu. Je ne me retrouve plus, je m'étonne. Je
m'indigne à la fois de cette absence et de cet étonnement. Je compare et je m'indigne aussi de ces
comparaisons. Est-il possible que vivent sur cette

terre des êtres aussi différents, aussi radicalement
opposés que celle-ci et celle-là ? Celle-ci : l'ex-Fol-
coche. Celle-là : Micou. Folcoche et Micou, vinaigre et sirop, vipère et colombe, ma mère et ma...
Ma rien du tout, pour bien dire. O précieux rien
du tout ! Lèvres sans dent d'or ! Azur de layette !
Pourquoi faut-il que mon souffleur ricane :
« *Alors, Brasse-Bouillon, ce sont les litanies de la
Vierge que tu récites ?* »

VII

LE photographe de la sous-préfecture sort de chez nous. Mme Rezeau n'est pas satisfaite. Elle aurait voulu être photographiée debout, au centre du cliché, son mari à sa droite, ses enfants à ses pieds. Mais il paraît que cela ne se fait pas quand lesdits enfants sont devenus des jeunes gens. Elle aurait dû s'y prendre plus tôt. Il lui a fallu s'asseoir sur une bergère... Une bergère ! L'un des grands Dagobert du salon faisait plus digne, plus Rezeau, mais il était trop haut. Mme Rezeau a donc été obligée de s'asseoir, tandis que nous l'entourions de nos quatre « statures moyennes ». C'est ainsi que nos arrière-neveux la contempleront, avec attendrissement, sans se douter que l'opérateur s'est permis de lui rabaisser quatre fois le menton et de lui réclamer une douzaine d'essais avant de confier au gélatino-bromure son bienveillant sourire. Quant à la tapisserie de l'Amour, qui a servi de toile de fond, je gage qu'ils la croiront sur parole. Tant pis ! Ils apprendront peut-être un jour que *groupe* et *entente* ne sont pas synonymes, que le p'tit oiseau est souvent une pie-grièche, quand il ne s'agit pas d'un corbeau. Enfin, c'est fait, nous serons encadrés ou couchés dans les albums de famille. Après tout, il était temps, il était grand temps, et c'est miracle que cette fantaisie ait brusquement semblé indispensable à notre père. Le vieux doit le sentir confusément : ce cliché est le premier et le dernier du genre. Jamais plus nous ne serons réunis, au complet. Notre définitive *diaspora* commence.

Le photographe nous a précédés de dix minutes : on distingue nettement dans la boue de l'allée des platanes la trace de ses pneus. Il pleut toujours. Cette fois il pleut selon l'usage : moitié pluie, moitié brouillard, la *bruinasse* lessive les parmélies le long des troncs, s'acharne sur la statue de saint Aventurin, lui prodigue la goutte au nez. Nous marchons tous les quatre vers la route, vers l'arrêt du car. Tous les quatre, dont trois sont en partance vers des directions différentes. Tous les quatre, ces quatre hommes qui totalisent maintenant une assez jolie puissance musculaire et que dirige, du haut de sa fenêtre, le toujours négligent regard d'une seule femme. Car Mme Rezeau ne nous accompagne pas : elle est fatiguée, elle est encore fatiguée. Elle inaugure cette fatigue politique, qui remplira les lettres de

notre père et les transformera en bulletins de
santé, cette fatigue qui déjà l'a contrainte à écour-
ter notre séjour, à nous renvoyer à nos chères
études au bout de quarante-huit heures, à nous
dire adieu d'un simple geste.

— Après une si longue séparation, j'aurais
voulu vous garder plus longtemps...

Seul, M. Rezeau parle, ou soliloque, ou s'excuse,
à notre choix. Il a retrouvé sa vieille peau de bique
pelée et jetée par-dessus un ciré de chasse au gibier
d'eau. Son vieux chapeau de campagne, le *pétase*
(qui l'attendait dans le grenier à insectes), fait
gouttière comme jadis et lui inonde la moustache.
Il tient à la main son parapluie qu'il a oublié d'ouvrir. Tandis qu'il continue à parler et que personne
ne l'écoute, je sens le bout de ce parapluie qui se
pose sur mon épaule, comme s'il voulait m'armer
chevalier.

— Remarque bien que... Cette fois, c'est Marcel
qui est le plus à plaindre. Comme je suis nommé
à Segré — ce qui va me permettre d'habiter ici —
Ferdinand, à Nantes, et toi, à Angers, ne serez pas
trop éloignés de nous. Mais Marcel, à Versailles,
sera bien isolé. Je sais qu'il pourra de temps en
temps passer son dimanche chez ses grands-
parents, à Paris. Je doute qu'ils lui soient d'un
grand secours.

Un éternuement sonore traverse le grand nez
de Fred. M. Rezeau tire son mouchoir, le pose sur
sa bouche, ne parvient pas à imiter son fils et se
contente finalement de se moucher pour se débarrasser des picotements qui lui chatouillent les

sinus. Puis il décide d'ouvrir son parapluie et se remet en marche. Ses bottines à boutons, qui se ressemellent de boue, traînent dans les flaques. Le pépin haut, il ricane doucement.

— Plus bons à rien, les Pluvignec. Depuis la mémorable veste que ton grand-père a ramassée aux dernières élections, ils se sont complètement retirés, ils vivent en robe de chambre et se découvrent une maladie par jour. Je m'inquiète beaucoup de la gestion de leur fortune.

Nous croisons Barbelivien. Lui aussi est entré dans l'âge trop mûr : on dirait qu'il a du mal à soulever les sabots.

Décidément, serviteurs, idées, fortune, parents, et même ces chênes, et même ce chemin ridé d'ornières, tout sent le vieillard, tout me donne envie d'aller essayer ailleurs ma jeunesse et mon insolence, ici déplacées. M. Rezeau agrippe mon bras.

— En ce qui te concerne, je suis très embêté. Cet idiot de Ladourd s'y est pris trop tard, paraît-il. Il n'y a plus aucune chambre libre aux internats de la Faculté Catholique. Il va falloir que tu loges en ville, chez une dame Polin, qu'il recommande. A propos de Ladourd...

Voici la barrière, qui fut blanche, voici la route goudronnée à qui la pluie prête les grâces luisantes d'un huit-reflets et qu'une bouse, rétive au délayage, orne de sa cocarde. Salive avalée, Papa continue :

— ... brave homme, très serviable...

C'est drôle, mais quand j'entends ce mot dans

la bouche de l'un des nôtres, il sonne exactement comme le mot serviette et donne l'impression d'être aussi facile à jeter dans le sac à linge sale.

— ... s'y connaît bien en affaires, te donnera d'excellents conseils, lui délègue mes pouvoirs. Mais, avec les petites... hein, pas d'histoires ! Nous aurons l'œil.

Inutile de répondre. Nous sommes arrivés. Nos valises tombent sur le bas-côté et nous restons bien sages, silencieux, alignés comme des boutures de la même espèce. Notre père a usé sa provision de salive. Quant à nous, les trois frères, nous n'avons rien à nous dire, pas plus au départ qu'à l'arrivée. Boutures de la même espèce, peut-être, mais greffées de trois façons, indifférentes à la variété voisine. Nous nous ignorons. Voici l'étonnement, toujours proche chez moi de l'indignation, qui commence à me travailler : hormis le nom et cette vague ressemblance du menton, quel signe nous est commun ? Quelle joie, quel sentiment, quel goût et quel but ? Nous sommes habillés de la même façon, nous mangeons la même chose, nous employons la même langue, mais cette solidarité de l'étoffe, de l'appétit et de la syntaxe, tous les hommes de ce pays la partagent avec leurs pires ennemis. En fait, nous n'avons aucune solidarité réelle et c'est exactement ce que notre mère a voulu, ce pour quoi elle nous a dispersés, divisés, ce en quoi elle nous a diminués.

— Allons, au revoir, mes enfants.

Distribution de moustaches mouillées.

Poussif, patouillard de Bocage, le car s'approche en aspergeant les haies.

Je ne tournerai pas la tête. Je sais bien que les moustaches frémissent et que le parapluie a du mal à rester droit au-dessus du *pétase*. Pour la dernière fois, je l'aurai revu dans cette ruine mouillée, dans ce cadre qui lui convient et qui le résume, le pauvre homme ! Qu'il aille décoller ses quintuples semelles de boue sur le grattoir, avant de monter aux ordres : sa prochaine épître sera certainement sèche, nette, catégorique. Il ne saurait jamais être que par lettre, loin de nous, ce qu'il ne peut être en notre présence : le chef de famille.

Mais ne nous apitoyons pas trop sur son sort. Il y a des natures qui aiment la dictée. Ce n'est pas du tout mon cas. Or je m'aperçois : primo, que je ne sais plus aussi bien jouer du bec et des ongles ; secundo, que ma virtuosité passée ne m'a pas servi à grand-chose. En somme, cette enfance, dont je suis encore très fier, s'est achevée sur un fiasco qui m'a très abusivement paru une victoire. Ce ne fut pas même une victoire « aux points ». En obtenant de quitter *La Belle Angerie* et d'être envoyé au collège, j'ai laissé le champ libre à ma mère. Elle a rebâti une nouvelle forme d'empire, plus hypocrite et plus sûre. Ai-je tout à refaire ?

— Tu as vu, au fond du car ?...

Je me retourne. Fred, qui occupe le siège placé derrière moi, cligne de l'œil. Marcel soulève une paupière et se replonge dans *La Science et la Vie*. Je reconnais le curé Létendard, recteur de Soledot, qui va sans doute rendre visite à son collègue de Vern et somnole au-dessus de son bréviaire. Mais je ne reconnais pas les paysans qui occupent les fauteuils de moleskine et qui ne s'empressent pas de saluer comme jadis.

— A côté du curé...

A côté du curé, il y a une bonne grosse fille en manteau vert épinard et chapeau de paille à ruban bleu, surchargé de cerises vernissées. Les cahots font tressaillir son poitrail, les virages n'arrivent pas à déporter cette masse de lard rose. Elle me dédie un sourire qui doit avoir vingt ans, mais qui en paraît trente. Béat plus que benêt, ce sourire, et tout empreint d'une vague complicité. Seuls, les yeux jaunes me permettent d'identifier la fille. C'est Madeleine, devenue la lourde à manier, la lourde à marier classique des fermes craonnaises. Jolie conquête, ma foi ! encore qu'à l'époque elle ait eu comme ses pareilles sa période mince, sa gentillesse canaille de *bicarde*. Jolie conquête, analogue à toutes les autres ! Saluons d'un coup de menton protecteur et faisons bien vite face en avant. La négligence, on vient de nous apprendre les vertus de la négligence. Je me retourne une seconde fois pour être bien sûr de ne pas m'être trompé. Autre petit salut. Mais oui, ma grosse, on se souvient. On était jeune en ce temps-là ; jeune et pas difficile, comme toi. Enfouis bien ce secret sous vingt centimètres d'axonge. Confie-toi, ma plantureuse, à quelque gars accoutumé à soulever les *pochées* de cent livres et, surtout, n'apprends jamais que nous avons poussé la bonne grâce jusqu'à t'idéaliser

quelque temps, jusqu'à faire de toi le prototype
des agréables pécheresses. Ah ! le niais, que tu
déniaisas, ma niaise !

— Au moins, insiste Frédie, ils mettent du
beurre dans la soupe, à La Vergeraie.

Et toi, de l'huile sur le feu, mon salaud ! A
gifler, le frangin ! C'est une manière de dire : « Tu
as baissé. Tu ne m'excites plus. » Comment s'exci-
terait-il sur ce que je suis ? Il n'est même plus mon
témoin. Nous sommes tous de bons bougres en
train de nous demander quel jeu nous allons jouer
et quelle chandelle nous planterons dans le bou-
geoir. Mon prestige est tombé à zéro dans ces
parages, et j'ai hâte de les fuir. Répondons, du coin
de la lèvre, histoire de sous-entendre des tas de
choses :

— Et dire que nous avons fait l'amour avec ça,
jadis !

Puis taisons-nous et dégustons ce « jadis »,
invraisemblable comme une sucette dans une bouche de dix-huit ans. Je respirerai quand ils seront
partis, messieurs mes frères, l'un vers Nantes et
l'autre vers Paris. Je ne les accompagnerai même
pas à la gare. Bon vent ! Ma fraternelle sollicitude,
toute dévouée à l'honneur de la famille, a sa petite
revanche à prendre, sur l'heure, du côté de la
maison Ladourd.

Petite, en effet, la revanche. « Micou ? Elle est
chez le dentiste », piaulera Suzanne de sa voix de
mouette, sur le pas de la porte. Je n'aurai plus
qu'à filer à la *Santima* pour demander au·père de

l'absente de m'accompagner jusque chez cette
dame Polin, ma logeuse. Et je n'aurai plus qu'à
dîner en face de cette inconnue, qui me débitera
les mille et une recommandations d'usage sur
l'emplacement des cabinets, l'usage des clefs, les
nécessités du paillasson et la sacro-sainte heure
des repas. A neuf heures, je serai au lit — un lit
neutre, ni mou, ni dur, comme la mère Polin —
sans éprouver la moindre envie de sortir, d'user
de ma liberté toute neuve. Après tout, Micou fait
aussi sa période mince : elle prendra peut-être
aussi le type rondouillard de sa mère. Et puis
quoi, l'amour ! qu'est-ce que c'est que ça, l'amour ?
La mer, l'amour, *toujours recommencés*. De quoi
ai-je l'air ? Roudoudou, sentiment, fleur bleue,
non merci ! Perdre ma force, non, merci ! J'allais
m'amollir, mais mon ange gardien veille, mon
ange gardien m'avertit à temps. Une petite ardoi-
sière de Trélazé ou une arpète de la Doutre, au
passage, pan ! comme le vieux tirait les sarcelles,
je ne dis pas non. Mais pour les effusions, mesdemoiselles, vous repasserez.

Puisque les inscriptions sont gratuites, je vais
m'inscrire à la fois au Droit et aux Lettres. Je suis
un garçon sérieux, moi.

VIII

POUR la centième fois, au moins, je me dirigeai
vers le cabinet de toilette et pour la centième
fois je respectai cette coiffeuse encore garnie de
tout un nécessaire aux initiales D. Avant moi, la
mère Polin avait hébergé une étudiante, qui s'était
brusquement éclipsée en lui laissant quelques
bagatelles et trois mois de quittances impayées.
(Aucun danger avec moi, M. Rezeau expédiait
directement son chèque mensuel.) Je ne me ser-
vais que du démêloir amputé de trois dents. Un
reste de poudre traînait dans une boîte d'ivoirine
et, malgré mon inexpérience, je n'ignorais pas
qu'il s'agissait d'une poudre pour brunes. Pour
rien au monde je n'aurais voulu utiliser cette
éponge douce, qui avait certainement mouillé les
seins de l'inconnue, qui s'était promenée, pouah !
dans toutes les anfractuosités de son corps. Du

reste, je me lavais peu : mon éducation, sommaire
sur ce point, me conseillait seulement cette brève
rencontre du coin de serviette et du museau.

— Café, café, café ! chanta la mère Polin.

Elle modulait cela, tous les matins, avant de
crier à travers la porte : « Hitler a obtenu quatre-
vingt-dix pour cent des voix », ou encore : « On
juge les incendiaires du Reichstag. » Jamais elle
n'entrait dans ma chambre, dont l'armoire et la
table de bois blanc avaient reçu une récente
couche de Novémail gris perle. Jamais, je ne la
voyais retaper le lit ni mettre en place la housse,
taillée dans une fin de coupe de reps grège.

— Café, café !... Dimitrov va s'en tirer, vous
savez.

Comme je passais dans la salle à manger, elle
ajouta très vite :

— Pas devant la tasse rose. Vous savez bien
que c'est la mienne. Bonjour, mon enfant... Mais,
qu'attendent-ils, ici, pour juger Violette Nozières ?

Je me contentais d'une tasse verte, à queue
cassée, dernier vestige d'un tête-à-tête, qui avait
dû être un cadeau de mariage. Je bâillais, je m'éti-
rais. L'agrément du lieu, le seul, était qu'on
pouvait y faire fi de toutes manières. Mais quel
décor à vous faire éternuer ! Un œuf de bois traînait dans le pondoir de la corbeille à laines. Les
portraits de feu les trois maris de Mme Polin —
veuve professionnelle — s'alignaient côte à côte
au-dessus du buffet. Partout ailleurs, fixées au
petit bonheur, s'étalaient deux cents photographies découpées dans le *Petit Courrier*. Une

douzaine d'almanachs des P. T. T. achevaient de masquer le papier. Bien entendu, ne manquaient ni patins, ni douilles d'obus remplies de monnaie du pape, ni les rideaux au crochet, ni le chat, abonné de la petite caisse et prêt à s'immiscer dans tous les bâillements de placard.

— Ça ne va pas ? s'enquit la veuve, en me voyant touiller interminablement son café au lait, richement nanti de petites peaux.

Ça n'allait ni mieux ni plus mal. Je relisais le cours ronéotypé du prof de Droit romain, étalé sur la table... *Le texte de Gaius, dont nous n'avons longtemps connu qu'un abrégé contenu dans le* Breviarium Alaricum, *nous a été restitué par un palimpseste, découvert à Vérone par Niebuhr en 1816 et paru dans les* Ecloga Juris, *en 1822, à Paris... Maintes fois commentés, les* Institutes *de Justinien ont fait l'objet d'une « Explication historique », dont le savant auteur, M. Ortolan...* Ortolan ! Un nom à rôtir ! Mais qu'attendez-vous, braises de l'enfer ?

— Vous vous ennuyez, insistait Mme Polin. C'est bien de travailler, mais vous devriez sortir un peu.

Je levai le nez et, soulevant un sourcil, observai cette bonne âme, dûment chapitrée à mon endroit, car tout chèque s'accompagnait d'une carte-lettre et toute carte-lettre d'un post-scriptum : *N'oubliez pas de me prévenir à la moindre incartade de mon fils.*

— Que voulez-vous que je fasse, sans argent de poche ? Je ne tiens pas à avoir l'air ridicule.

Les yeux de mon hôtesse s'attardèrent cinq
minutes sur le *Petit Courrier*, tandis que son râtelier se battait avec une tartine de pain grillée. Puis
sa langue franchit de nouveau ce barrage :

— J'ai rencontré Mme Ladourd. Elle m'a
demandé pourquoi vous ne veniez jamais la voir.

— Ça n'emballe pas mes parents.

Petit travail de sape. D'abord, j'excitais chez
cette dame, fort amie des Ladourd, une légère
animosité contre le signataire du chèque mensuel.
Ensuite cette information, dûment colportée,
indisposerait également les Ladourd. Je n'aurais
pas pu dire pourquoi, mais je préférais que
Ladourd et Rezeau ne s'aimassent point trop. Des
Ladourd chers aux habitants de *La Belle Angerie*
me seraient devenus moins sympathiques. Si je
ne pensais pas devoir aller chez eux, c'était mon
affaire. Les Américains tiennent à leurs Réserves,
où il est interdit de chasser. Les provinciaux
tiennent à leurs musées, où ils ne mettent jamais
les pieds, peut-être par crainte de s'apercevoir
que les pièces rares sont fausses ou de moindre
valeur qu'ils ne le supposaient.

— Je file au cours, madame.

Or, pour une fois, je n'allais pas au cours, mais
au Mail.

Cette sagesse morne est une attente. Ma retraite
se prolonge : volontaire, cette fois. Il s'agit de
savoir ce que je veux et ce que je peux. S'il ne
tenait qu'à moi, j'irais séance tenante revendre
chez un bouquiniste mes manuels de droit, je
prendrais le train pour Paris, j'essaierais de me

faire embaucher quelque part. Mais l'aventure ressemblerait trop à une fugue. Essayons de tenir un an. Voilà qui me permettrait d'enlever un premier certificat de licence ès lettres. Et pourquoi pas tenir trois ans ? Après tout, j'aurais la licence désirée, et celle que veut mon père pardessus le marché. Oui, mais trois ans, quel siècle à mon âge ! Il m'est pénible de devoir mes études à la fortune des miens. Certes, je ne suis pas assez sot pour regretter l'instruction qu'ils m'ont donnée, mais maintenant que je parviens à l'âge d'homme, j'aimerais me devoir le reste. J'ai toujours jalousé les boursiers, à qui nul ne peut dire : « Vous avez eu de la chance d'être un fils à papa. » J'envie les « dispensés de cours », qui travaillent chez quelque notaire et potassent toute la nuit. Non que j'aime jouer la difficulté : j'ai seulement horreur de la mentalité de ces petits séminaristes qui simulent une vocation sacerdotale pour se faire offrir le collège et s'esbignent le lendemain du bachot. Leur mauvaise conscience sera demain la mienne. L'abomination de la désolation, ce n'est pas d'être un transfuge, ni même un ingrat. Tout le monde l'est plus ou moins. L'abomination, c'est d'être un faux homme nouveau. On peut tromper les gens, on ne se trompe pas soi-même. Ceux qui prétendent le contraire ont sans doute la chance de pouvoir domestiquer leur orgueil. Moi pas. C'est pourquoi cet orgueil s'irrite. Interminable jeunesse ! Pourquoi faut-il si longtemps exister avant de vivre, demander avant de prendre, recevoir avant de donner ?

Décembre, trop doux cette année, laisse le ciel, cette grande cuve, passer au bleu les torchons gris de ses nuages. Sur le gravier rose s'alignent les marronniers nus, dont les feuilles sont depuis longtemps tombées, ratissées. L'une d'elles, qui ressemble à une main à sept doigts, est restée accrochée à l'épaule d'une statue, exploite cette chance, palpe le marbre. Cette désinvolture est une leçon et ma propre main se crispe sur mon genou.

Sur le gravier rose, il y a aussi des tas d'enfants. De jolis enfants. Un peu bêtes. Un peu doux et frisés. Affligés d'une peau étonnante, trop fraîche, trop mince : une peau de dessous, qui ne doit pas supporter les coups. Je le pensais bien, je n'ai jamais été enfant. Dans le bassin une douzaine de voiliers évoluent, se couchent, rétifs à la ficelle. Et voilà des cris... Une vague goélette s'est laissé aborder par un croiseur mécanique, qui lui a brisé son bout-dehors. Pourquoi pleurniche-t-il, le petit armateur, pourquoi réclame-t-il ? En lançant sa coquille de noix sur l'eau farcie de poissons rouges, il prenait ses risques. On ne réclame pas contre soi-même. On ne triche pas avec soi-même.

Et c'est pourquoi tu files, mon garçon ! Tu triches, tu files parce qu'au détour d'une allée, là-bas, remorquant vivement deux bambines, vient d'apparaître une jeune fille. Micou ! Micou, cette goélette dont tu te figures qu'elle pourrait couler ton cuirassé.

IX

— EMPOIGNE-LA plus bas, ta pelle...

Les deux manœuvres qui déchargeaient avec moi l'une des cinq péniches de sable de Loire m'accablaient de rugueux conseils et raillaient mon coup de pelle sans ampleur, ma raideur, le peu d'empressement que j'apportais à téter le commun litre de rouge que tout nouvel embauché se doit d'offrir au nom de la politesse élémentaire des chantiers. Ereinté, je ne m'accordais pourtant aucun répit. J'étais à la fois furieux et satisfait. Furieux de cette tolérance bourrue, de cette pitié des costauds, des attentions du contremaître qui, lorgnant ses équipes du haut du quai, me jetait trois fois par heure : « Alors, ça va, l'amateur ? » Furieux surtout de me sentir incapable de mieux faire et de vérifier pour la première fois l'ineptie de cette mentalité Rezeau, pour qui la Légion étrangère, le débardage, la terrasse ou le ramassage des chiffons sont professions ouvertes à n'importe qui, d'une minute à l'autre, sans autre entraînement que la nécessité. Eh bien ! non, n'importe qui ne pouvait pas manier une pelle ni expédier son mètre cube sur le quai dans le temps requis. C'est pourquoi j'étais tout de même content d'être là, d'avoir tenté l'expérience, d'avoir tenu le coup, tant bien que mal. Je n'étais pas fâché non plus, dans une certaine mesure (dans la mesure où cette découverte ridiculisait les biceps d'un Cropette ou d'un Max), d'apprendre qu'il y a des muscles spéculatifs (comme les cerveaux) et que le seul myographe valable, c'est l'outil. J'allais jusqu'à me féliciter, toujours dans une certaine mesure (dans la mesure où cette fantaisie était une offense publique faite à notre « dignité »), de me trouver là, en bleus, exposé à la curiosité nonchalante des passants et des bonniches bretonnes dont nul n'ignore qu'elles sont d'excellents agents de renseignements pour leurs patronnes. J'imaginais les ragots :

— Mais oui, ma chère, le petit Rezeau, celui qui fait son Droit... Marie l'a vu au bord de la Maine. Vu, je vous dis, ce qui s'appelle : vu... Au bord de la Maine, en train de pelleter du sable. Et il buvait du vin rouge, glouglou, au goulot, avec la canaille du quai ! Mon mari assure qu'il existe une œuvre Saint-Truc, une œuvre Saint-Machin, enfin une œuvre de fraternisation sociale... Hum ! Ce n'est pas le genre Rezeau. Je croirais plutôt... Vous savez, les jeunes d'aujourd'hui, quand il leur faut de l'argent de poche, tout leur est bon.

J'en avais besoin, c'était un fait, mais mon geste avait d'autres raisons, parfaitement incompréhensibles pour une buveuse de thé et en partie obscures pour moi-même. Le 22 décembre, veille de mon théorique départ en vacances, j'avais reçu, sans étonnement, une carte-lettre : « *Nous passerons les fêtes de Noël à Paris chez les Pluvignec. Nous ne pourrons donc pas vous recevoir, sauf Marcel. Reste chez Mme Polin. Avec nos vœux.* » Ces vœux n'étaient même pas accompagnés du billet de cinquante francs rituel et le « donc » me laissa aussi rêveur que le « sauf ».

— Nous réveillonnerons ensemble ? proposait la mère Polin.

Mais je n'aime pas qu'on ait pitié de moi et déclinai l'invitation sous un prétexte honorable.

— Il y a bal au Foyer des étudiants.

C'est un autre foyer qui m'eût intéressé, mais il n'était pas question de solliciter cette grâce. Ma nuit de Noël, je la passai dans les rues et plus précisément dans cette rue du Pré-Pigeon qu'habitaient les Ladourd. Je l'arpentai mélancoliquement, refusant vingt fois de céder à ce lâche qui murmurait en moi : « Jolie sonnette de cuivre, bien astiquée. Tire-la donc ! » A mon second passage j'aperçus les filles qui rentraient de la messe de minuit et je dus m'incruster dans une porte cochère. Au troisième passage, au quatrième, au cinquième, l'allégresse des odeurs, des bruits et des lumières me tira des jurons. Au dixième, il y avait encore sous la paupière bleue des

rideaux quelques molles lueurs. Au douzième,
tout était éteint, et j'en profitai pour tirer la
sonnette avec une furieuse conviction. Je m'enfuis
aussitôt et courus mes deux kilomètres jusqu'à
la Maine, qui clapotait au pied de ses ponts et
que barbouillait de reflets jaunes une file de
réverbères plantés dans le pavé inégal. L'un d'eux
me permit de lire cet avis, peint au goudron sur
une feuille de contreplaqué : *On demande des
manœuvres.* Tiens, tiens ! Pourquoi pas ? Le
hasard me suggérait une idée pour l'emploi de
mes vacances.

A cinq heures, comme la nuit tombait, le contremaître siffla, puis m'ordonna de ranger les outils.
Comme je sortais de la cabane en planches et
posais le cadenas une voix me fit sursauter :

— Voyez-moi ce gaillard !

Trop joviale, cette voix, trop ironique pour
appartenir à un ouvrier. D'ailleurs je la connaissais bien. Il fallut me retourner et faire face. Le
gros Ladourd s'avançait, marchant carrément
dans le sable avec l'assurance d'un homme qui
sait ce que c'est, qui se souvient, qui méprise ses
beaux souliers.

— Je ne pensais pas vous trouver là. Le plus
drôle, c'est qu'une partie de ce sable est destinée
à une fabrique d'agglomérés dont je m'occupe
également.

Sa voix venait de changer, de s'enrichir d'une
nuance de considération, que confirma la poignée
de main.

— Ainsi, vous n'êtes pas parti en vacances ?

Je me taisais, gêné, presque buté.

— Je suis idiot, reprit-il. J'aurais dû m'en douter. Pas de vacances... Tout de même, vos parents exagèrent.

Cette critique dut lui paraître énorme, car il ravala sa salive et fulmina :

— Quant à vous, bon Dieu, si vous vouliez travailler pour votre argent de poche ou toute autre raison que j'ignore, vous auriez dû penser que mes bureaux vous étaient ouverts.

Le contremaître s'était rapproché et campé devant nous, ses grosses pattes à demi glissées sous la ceinture de flanelle cachou, grognait poliment :

— J'ai cinquante mètres cubes pour vous.

— Ça ira, fit négligemment le borgne, qui conclut, tourné de mon côté : Puisque votre journée est finie, je vous emmène. Oui, dans cette tenue. Mes enfants vont bien rire.

Et, comme j'ébauchais un geste de protestation, il se hâta d'ajouter :

— Ne croyez pas que je vous désapprouve. Les méthodes russes qui confient une pioche aux étudiants, ça se défend. Mais vous avez mieux à faire tout de même que de singer les forts-à-bras.

X

Le *général goûta, regoûta et continua à goûter jusqu'à ce qu'il eût tout mangé*, dit la comtesse de Ségur à propos du général Dourakine. On peut citer ici cette haute autorité littéraire : le décor lui convient, la suavité y fouette ses crèmes. Comme j'ai toujours les canines longues, j'en rage, je me sens barbouillé de ridicule.

— Comment va celui-ci ? s'est contentée de gémir Mme Ladourd.

Enquête des yeux et des mains, moue, massage de glandes dans le cou. Et je te relâche ! Et toute la portée sans japper un reproche, s'empresse autour de moi, humide du museau, frétillant de la patte. J'avance à pas lents, grognant des bonjours et posant sur toutes choses ces yeux lourds, ces yeux de faïence des bouledogues offensés.

Singulière maison ! Je connaissais déjà leur

climat. Je ne connaissais pas leur véritable intérieur. Car ceci est vraiment un intérieur, par opposition à *La Belle Angerie*, qui est avant tout un extérieur, une façade. Tous les objets ont l'air de vouloir servir à quelque chose. Nulle parade. Les portraits, qui ne représentent pas des ancêtres, mais de vulgaires grands-parents, ne sont pas résumés par les ors de leur cadre : ils vous accueillent, au même titre que la glace, ce portrait changeant. Un poêle, un poste de T. S. F., une pendule d'un merveilleux mauvais goût, un aspirateur, un chemin de fer électrique m'annoncent qu'ils existent, qu'ils ont le droit de faire du bruit, de manquer d'allure. En a-t-elle, Micou, de l'allure ? Sa mère l'a plongée dans une robe de velours bleu, couleur de mer calme, d'où cette mince enfant émerge comme d'une demi-noyade. Ces bras nus, ces cous-de-pied où se retourne la socquette, ces chemisiers brûlés sous l'aisselle et qu'agacent les pointes de seins, ces cheveux de toutes parts délayés dans les pirouettes, ces jacassements... nous y revoilà ! Et voici Samuel qui descend l'escalier, un peu lourd, voici son père qui s'effondre, béat, sur le divan et pose les mains sur son gilet de tricot. Dans cette bonbonnière pleine de berlingots acidulés, ces deux-là figurent assez bien les boules de gomme. Nous sommes chez le confiseur. Est-ce là ce fameux danger ? Serions-nous un imbécile ? *En amour, l'héroïsme, c'est la fuite,* disait Napoléon. Mais la référence de ce cocu manque d'autorité. Le danger, ce serait plutôt moi. Quel est donc ce curieux sentiment,

venu d'une région inconnue de moi-même et qui
rend ma gencive amère ? « Si c'est toi le danger,
fous-moi le camp, car c'est pis. »

Nous ne ficherons pas le camp. Le général a
goûté, regoûté... En avant pour la romance !
Entrons dans l'ère rose. Je dis l'ère, car elle va
me sembler interminable, comme à tous ceux qui
la traversent, cette période pourtant si brève où
l'on est embarrassé de ses sentiments comme
d'une caisse de porcelaine, où l'on est plus bête
qu'une poésie de carte postale. Ere rose. L'ère
du pêcher, des mignardises, des gentillesses à
fleur de fleur. Moi, évidemment, je travaillerais
plutôt à la manière des giboulées, par grandes
secousses. Mais on se charge de ma rééducation.

— Viens déjeuner le 1er janvier.

— C'est que, ma tante...

— Nous comptons sur toi, tranche Félicien
Ladourd. Quant à la *Santima*, nous en reparlerons.
De toute façon, je ne t'occuperai que deux ou trois
heures par jour, l'après-midi. Il ne faut pas nuire
à tes études.

C'est la première fois qu'il me tutoie, et je sais
bien qu'il tutoie mon bleu de travail, qu'il entend
ainsi m'honorer. Remercions.

— Entendu, *mon oncle*.

— Nous comptons sur toi, répète Micou, qui
s'approche de la table, retrousse soigneusement
sa robe de velours et s'assied sur sa combinaison
blanche, ourlée au point de cocotte.

XI

FÉLICIEN avait tenu sa promesse et j'étais entré à la *Santima*, où je travaillais trois heures par jour, l'après-midi, passant de la comptabilité à la fabrication, du service des fournitures au secrétariat. « L'oncle » s'était chargé d'avertir mon père et avait pris soin de le faire par téléphone, afin d'atteindre M. Rezeau à Segré, dans son cabinet, c'est-à-dire loin de son mentor.

— Hum... bonne idée !... s'était contenté de répondre notre substitut.

Evidemment Mme Rezeau avait essayé de contre-attaquer en inspirant ce mot qui me parvint le surlendemain :

Mon pauvre enfant, tu te disperses, comme toujours. Nous voulons bien t'autoriser à gratter du papier à la Santima, *parce que tu vas y toucher quelque argent. Mais tu t'habilleras désormais à tes frais et tu enverras le reste de tes gains à ta mère, pour qu'elle te constitue une cagnotte.*

J'avais décidé aussitôt qu'il n'y aurait jamais de « reste », et mes parents, incapables de contrôler, n'avaient pas insisté. Depuis deux mois un agréable silence régnait du côté de *La Belle Angerie.* Invité rue du Pré-Pigeon, pour le jour de l'an (Micou, au nom de tous, m'offrit un portefeuille), j'y étais retourné le dimanche suivant et, d'octave en octave, presque tous les dimanches. J'avais mon rond de serviette attitré chez les Ladourd comme chez la mère Polin. Celle-ci, malgré les chèques et les recommandations familiales, me devenait de plus en plus favorable et, pour me le prouver, m'accablait de confidences et de conseils. Ce qu'elle appelait « mon idylle » l'excitait au moins autant que les événements du six février.

— Je vous l'avais bien dit, répétait-elle à chaque dîner, que cette affaire Stavisky amènerait un coup de balai général. Les braves gens !... Un peu de macaroni... Si, reprenez du macaroni... Ah ! la répugnante république !

Une main sur l'estomac et l'autre esquissant un pince-nez, elle reniflait son écœurement. Puis la première main remontait soudain de l'épigastre vers le cœur.

— A propos, reprenait la mère Polin, qui avait, comme Fred, le génie du coq-à-l'âne, où en sont nos petites affaires ? J'ai encore rencontré Michelle, ce matin. La jolie fille, vraiment, la jolie fille !

Sa tête jaillissait, à bout de cou, hors de la guimpe, engageante et pathétique. Je fronçais les sourcils, je répétais vainement :

— Chut ! Si ma mère...

Et Mme Polin m'approuvait, récitait une litanie de « chut », posait l'index sur un discret cul de poule. Mais cinq minutes plus tard, comme je dévalais l'escalier, elle se penchait sur la rampe et me confiait à tue-tête :

— Une jolie fille et aussi une bonne fille, vous savez ! Ne gâchez pas votre chance.

Une jolie fille, bien sûr. Une bonne fille, d'accord. Mais une chance... je n'en étais pas certain. Je n'étais en tout cas pas tellement satisfait de cette chance ou de la façon dont je l'exploitais. Je débitais des fadaises à longueur de dimanche, sans m'approuver et surtout sans y croire. Une fois refermée la porte des Ladourd, je me trouvais aussitôt ridicule, mais je n'avais qu'une hâte, c'était de repasser cette porte. Il faut dire que je réussissais vraiment dans le genre acidulé que ne détestent pas les jeunes filles. J'asticotais, je harcelais Micou. Mes attentions conservaient la forme de fléchettes. Fallait-il jouer au jeu de séries (*K, cas, carat, carabe, carabin, carabine, carabinée*) qui faisait fureur rue du Pré-Pigeon ? J'attendais mon tour, en bâillant, et proposais négligemment l'*M* pour empoisonner Micou, assise à ma droite et qui suçait désespéré-

ment son crayon sans parvenir à éviter le dérivé.
Allions-nous à la piscine ? Elle y buvait tasse sur
tasse. Je ne lui épargnais aucune des gentillesses
pointues de ma génération, qui a horreur de
passer pour galante et qui caresse à rebrousse-
poil. Je ne lui épargnais même pas, et surtout pas,
mes humeurs, ni mes silences. Il est vrai que les
silences, ma mère me l'a enseigné, sont prodigieusement éloquents. Des silences, j'en connaissais
tout un lexique.

En somme, j'étais ravi et je n'étais pas content.
Dans mon enfance, il ne m'était jamais arrivé
d'être ravi, il me suffisait d'être content de moi.
Certes, je me rétractais encore sous la bénédiction
des sourires entendus, mais je perdais de mon
intransigeance, de ma sauvagerie. Quelquefois,
campé devant le fichier général de la *Santima* et
revisant article par article l'incroyable variété de
vierges ou de saints qui soutiennent le tourisme
pèlerin, je songeais que Micou était la fille d'un
marchand du Temple et que les vertus familiales
des Ladourd avaient leurs cours à la mercuriale
des grâces. Néanmoins, le dimanche suivant, pour
faire plaisir à la tribu, j'allais m'agenouiller avec
elle devant les plâtres qui avaient été pour Félicien un simple élément comptable. Debout, les
bras croisés, les jambes agacées, je laissais la
petite dévider son chapelet de nacre.

— L'évangile du jour, page 146 ! chuchotaient
les sœurs entre elles.

Et Micou poussait son paroissien de mon côté
pour que je puisse lire avec elle. J'y jetais les

yeux, mais mon regard remontait très vite vers son décolleté qui laissait voir des salières creuses, où était tombé le poivre de menus grains de beauté. Ce poivre commençait à me brûler les yeux.

XII

PAQUES. Autres vacances sur place. Mme Rezeau
se plaint de son foie. Qu'importe ! Vivre loin
d'elle n'est pas un exil.

J'ai d'ailleurs trop envie de me faire voir chez
les Ladourd. J'arbore mon premier costume sur
mesure qui a exigé le sacrifice de tout ce que j'ai
gagné depuis le Jour de l'an. Je me sens plein
d'audace et d'importance. Il n'y a de vrai neuf
que sur un jeune dos. A cet âge, sortir de chez le
tailleur, c'est sortir de la cuisse de Jupiter. Voilà
qui me transfigure et relègue au trente-sixième
dessous les lointains frères encore affligés par la
confection chère à notre mère. Mémorable journée ! Qu'allons-nous encore inaugurer ?

Pour la nième fois depuis six mois, je pénètre
dans cette maison de la rue du Pré-Pigeon que
dominent deux longues cheminées tricotant leur

fil de fumée. Mme Ladourd (qui attend son huitième) tricote aussi dans sa chambre. Il est onze heures douze, et cette précision prouve que je n'ai pas perdu le nord. Micou et moi, par hasard seuls, sommes assis à chaque bout du canapé rose (c'est depuis ce jour, je vous l'avoue, que je tolère le Louis-Philippe). Nous voici, je le sens bien, silencieusement d'accord pour en finir. Pour en finir de ne pas commencer. Michelle affecte de se polir un ongle sur le revers de la main. Je me rapproche. Je me rapproche d'une demi-fesse. Profils parallèles, pantalon et jupe bien tirés sur le genou, nous nous taisons d'une manière de plus en plus éloquente.

Je feins d'être mal assis, je me déplace cette fois d'une fesse entière. Comment entrer en matière ? Je pourrais dire : « Michelle, tu es à l'âge du mariage. Je ne voudrais pas qu'éventuellement tu acceptasses... » Non, mieux vaut moderniser : « Micou, toi et moi, est-ce que ça ne pourrait pas bicher ? » Je me rapproche, je me rapproche si bien que nous voilà serrés l'un contre l'autre.

— Tout de même ! fait Micou.

Cette légère impatience n'honore pas le conquérant, mais je l'interprète. Le léger défaut de prononciation de la petite me permet de croire qu'elle a décliné le verbe sacré des mélos et demandé : « Tu m'aimes ? » A vrai dire, je n'en sais rien et je n'ai pas l'impression que ce soit important. Répondons à tout hasard :

— Oui.

L'essentiel est de me pencher, l'œil trouble et la patte en crochet. Nos mentons se provoquent une minute, puis obéissent à cette aimantation qu'ils partagent avec le fer doux.

— Rien qu'un ! exige Michelle, entrouvrant cette bouche gercée qui sent la pommade rosat.

Nous connaissons notre Apologétique. Dieu aussi est unique, mais en plusieurs personnes. Sucette, donc, et resucette. Cependant je ne ferme qu'une paupière en sacrifiant à ce délicat usage. *Tu dois avoir l'air complètement idiot*, assure le ricaneur-maison, qui ajoute très docte : *Sais-tu que nos grand-mères appelaient « lune de lait » la période des premiers baisers ? Fais attention ! Le lait, ça caille.* Le ricaneur-maison a tort : la pommade rosat a bon goût. Cependant, une porte claque, Micou récupère ses lèvres, dont la supérieure tremble un peu, et repousse ma main qui s'intéresse trop vite à l'un de ses perceurs de chandail.

— On prévient maman ?

— Jamais de la vie !

Il s'agit de la sienne, évidemment. Mais je n'ai pensé qu'à la mienne et j'éclate d'un rire faux, d'un rire effaré, à l'idée qu'on pourrait lui faire part de cette scène attendrissante.

XIII

Précaution inutile : dans ce lac de sirop, voici que tombe un pavé. Nous voulions en finir de ne pas commencer. Nous en finirons purement et simplement. Trois jours plus tard, Madame Mère a tout liquidé.

Mâchonnant un refrain, je rentre de la *Santima*. Je ne me doute de rien. Il fait si bon dehors qu'en grimpant l'escalier je regrette ce soleil neuf qui recrépit la maison. Personne dans le vestibule, personne dans la salle à manger. Mais quel est ce remue-ménage du côté de ma chambre ? Des cambrioleurs ne feraient pas mieux. Mon épaule fait valser la porte entrouverte.

Tableau ! Il s'agit bien d'une variété de cambriolage. Mon linge, mes papiers, mes vêtements sont dispersés un peu partout sur le lit, sur la

table, sur le parquet. Mme Rezeau vide passion-
nément les tiroirs de la commode. M. Rezeau, à
cheval sur une chaise et le menton à ras du dossier, la regarde faire en bâillant. Dans un coin,
raide, les bras croisés, la tête vissée sur l'écrou de
sa guimpe, la mère Polin assiste impuissante à la
fouille. Au bruit de mes pas, les trois visages se
sont détournés ; ils braquent sur moi leurs prunelles de couleur et d'intensité diverses.

— Tu fais des dépenses somptuaires, mon
garçon ! grince ma mère en palpant mon costume
gris.

— As-tu des nouvelles de Fred ? gémit mon
père.

— Vos parents... ont exigé..., bredouille la veuve.
Pendant deux minutes, c'est un parfait cafouill-
lage. Ils parlent tous ensemble de choses différentes. Enfin la voix de ma mère se dégage, stri-
dente :

— Allez-vous me laisser parler ?
Six mois de « fatigue » lui ont donné une mine
superbe. Elle poursuit dans le silence :

— Joli costume pour faire le joli cœur !... Alors,
Jacques, vous dites son fait à ce garçon ?
A pas de souris, sur l'extrême pointe de ses
chaussons de feutre, la mère Polin gagne le vestibule. Le vieux se tasse. Ce n'est plus son menton,
c'est sa moustache, puis son nez qui repose sur le
dossier de la chaise dont il souhaiterait de tout
cœur qu'elle devînt paravent.

— Je suis très renseigné, commence-t-il péniblement. Donc, inutile de nier...

— Nous te faisions surveiller, précise Mme Rezeau. Ton père n'est pas substitut pour rien.

— Ferdinand et toi, vous me donnez bien du souci...

— Heureusement que nous avons Marcel !

Ce discours continue, à deux voix, l'une renforçant l'autre. Nous sommes de très grands coupables, paraît-il. Fred, profitant de ses vingt ans, majorité militaire qui le dispense de toute autorisation, s'est engagé dans la marine, comme simple matelot, sans prévenir personne. Quant à moi, je compromets mes études et je ridiculise ma famille en pelletant du sable sur les quais de la Maine. Je compromets surtout mon avenir et je ridiculise derechef ma malheureuse famille en faisant d'une Ladourd la dame de mes pensées, en m'affichant tous les dimanches rue du Pré-Pigeon. Un Rezeau et une Ladourd ! Quelle aberration ! Les Ladourd ont de l'argent, il faut le reconnaître, mais si j'aime l'argent, ce qui est assez répugnant sans être absolument déraisonnable (M. Rezeau regarde sa femme, une seconde), on peut en trouver plus tard, qui ait moins d'odeur. Plus tard, car je n'ai point l'âge de songer sérieusement à des choses si sérieuses. M. Rezeau s'est échauffé, place une tirade, que ma mère ponctue d'apostrophes... Certes, les circonstances ont changé, certaines positions ont dû être courageusement revisées, certaines nécessités satisfaites. Mais dans un esprit de charité sociale et surtout familiale, dans l'unique but de conserver à la France d'indispen-

sables valeurs et de conserver aux Rezeau cette
excellence, cette suprématie spirituelle qui n'abandonne rien au siècle et s'adapte au nom d'une
tradition. Puisque les mérites acquis, les fortunes
acquises ne défendent plus leur homme, la situation et l'établissement prennent une importance
chaque jour plus grande. Ratés et mésalliés n'ont
jamais été plus dangereux, car tous les membres
de la famille doivent accumuler les avantages de
leurs situations et de leurs alliances pour tenir tête
à la subversion. Une mésalliance a toujours été
une boulette : elle devient une trahison. Au surplus, la révolution et ses avant-gardes, qui voltigent au-devant d'elle sous des uniformes divers,
ne sont pas le seul danger. Un contre-courant se
produit, fort souhaitable, mais qui charrie le meilleur et le pire. Une foule de parvenus, qui se
croient mûrs pour voguer en bourgeoisie, y lancent leur petit bateau, cherchent à se faire prendre
en remorque par des imbéciles comme moi. Car je
suis un imbécile, doublé d'un ingrat. On sait à
quoi riment tous les généreux prétextes dont se
couvrent les esprits forts, les esprits qui se veulent avancés et qui sont tout au plus en porte à
faux. Ils cherchent à se venger de leur incapacité
en épousant glorieusement la jalousie des petites
gens ou leur ambition, quand ce n'est pas leurs
filles. Faute de pouvoir briller en bonne place, ils
vont faire leur ver luisant parmi les médiocres.
Ne pas confondre, d'ailleurs, médiocrité subie et
médiocrité volontaire. Un Léon Rezeau, une Edith
Torure, conservent en leur âme les raffinements

d'une éducation qui, que... enfin, je la connais,
bien que je feigne de la dédaigner... Un Léon
Rezeau, une Edith Torure, voire un Fred, ne
déchoient pas dans la mesure où leur médiocrité
provisoire est un tremplin qui leur permettra de
remonter, par bonds successifs, aux avantages
matériels qui garantissent en fin de compte la
nécessaire stabilité des élites. Mais que peut-on
attendre de moi, de mon esprit de reniement, que
n'excuserait même pas une réussite solitaire, au
demeurant fort improbable... ?

— Bref, tranche Madame Mère, qui a visible-
ment envie de passer aux travaux pratiques, nous
ne pouvons te laisser abuser de la liberté. A la
fin du mois, tu quitteras Mme Polin. Nous avons
enfin obtenu du recteur une chambre aux internats. Là, règne une certaine discipline : on n'en
sort pas le soir sans permission et sans motif.
Par ailleurs, tu abandonneras la *Santima* pour te
consacrer uniquement à ton Droit. Et qu'on ne te
voie plus le dimanche chez ces Ladourd ! Terminé,
ce flirt de quatre sous...

— Bah, bah ! N'en parlons plus, propose précipitamment M. Rezeau, qui observe mon menton
et le trouve sans doute menaçant.

— ... qui est peut-être une liaison ! achève ma
mère, crachant ce soupçon du coin de la bouche et
observant du coin de l'œil ma réaction.

Elle est simple. Au prix d'un effort inouï, j'ai
retenu mon poing qui partait dans la direction
de la dent d'or. Je me lève, sans mot dire ; je commence à ramasser et à ranger mes affaires. Mon

père ouvre des yeux étonnés ; ma mère, elle, a compris.

— Tu n'as que dix-neuf ans, reprend-elle lentement, et nous pouvons te couper les vivres.

J'empile mes chemises et mes caleçons (façon de parler : le tas est mince), très soigneusement. Puis je tire mon portefeuille, celui que m'a donné Micou. Le bout de papier que j'en extirpe est un bulletin de paie. Toujours silencieux, allant et venant à travers ma chambre comme si mes parents ne s'y trouvaient pas, je laisse tomber cet argument aux pieds de ma mère. Je la vois pâlir, puis sourire de son terrible sourire de combat. Elle fait trois pas, feint à son tour d'ignorer ma présence et d'un ton égal s'adresse à mon père qui suce, effaré, le bas de sa moustache.

— Je ne voulais pas d'éclat, mais nous y voilà contraints. Il faut aller rue du Pré-Pigeon.

M. Rezeau, qui intervertit décidément les rôles et joue celui de la mère crucifiée, se soulève et suit sa femme. Sur le pas de la porte, il se retourne.

— Voyons, mon petit ! implore-t-il.

Je ferais mieux de continuer à me taire. Jusqu'ici mon attitude avait de l'allure. Malheureusement mes vertus cabotines se réveillent et lancent une réplique superflue :

— Suivez donc Madame. Moi, je démissionne de la famille.

Et je lui claque la porte au nez.

Ils sont partis. « Tu ne pouvais pas le gifler ! » a crié ma mère dans l'escalier. J'ai ensuite entendu

des protestations confuses et un « Si, si, nous y
allons » qui semblent indiquer que M. Rezeau
n'est pas très emballé par la perspective de se col-
leter avec le borgne. Puis le bruit d'un moteur,
grognant ses vitesses, s'est éloigné, s'est perdu.
On n'entend plus que les cris étirés des martinets,
fauchant à toute vitesse la lumière du soir. Me
voici seul. Enfin seul. Enfin libre. Enfin responsable de moi.

Mais à quel prix ? Que va-t-il se passer rue du
Pré-Pigeon ? Une réflexion me traverse, me donne
la mesure d'une inquiétude que je ne m'avoue pas
et qui me semble encore disproportionnée avec
son objet, tant il est vrai que nous ne connaissons
guère le prix des êtres et des choses avant de les
perdre : « Si j'avais remarqué la voiture, j'aurais
crevé les pneus. Je serais arrivé le premier chez
les Ladourd. Peut-être aurais-je ainsi amorti le
choc. » Je sais déjà que ce choc va briser mes tendres porcelaines. J'ai beau penser qu'il me forge,
je n'arrive pas à l'admettre. Je connais bien ma
mère et je connais bien les Ladourd : le résultat
n'est pas douteux. Assis à ma table, le menton sur
mes bras croisés et mes cheveux secs éparpillés
sur les tempes, je laisse passer cet étonnant souhait : « Donnez-moi un miracle », et ce stupéfiant
corollaire : « Ah ! si je pouvais prier ! » Cependant je m'aperçois qu'on gratte à la porte.

— Entrez !

Dolente, égrenant comme un chapelet son double collier de jais, la veuve s'avance sur deux
patins de feutre vert. Ses longues rides, ses fanons,

les franges de son châle, les plis de sa robe lui
donnent l'allure d'un saule pleureur.

— Je n'aime pas, dit-elle, changer de locataire.
Mais si vous voulez, vous pourrez rester. Maintenant, il faut aller chez Félicien.

Dans mon désarroi, un petit remords se glisse.
Pourquoi me suis-je moqué de cette guimpe ? Il
n'y a qu'elle de rigide chez la mère Polin.

— Allez vite, mon petit ! répète-t-elle. Vous
dînerez après.

Comme je dévale l'escalier, elle glapit soudain
avec une conviction capable de faire sauter son
râtelier :

— Ah ! cette femme !

Un quart d'heure plus tard, je saute du tram,
je galope, j'enfile la rue du Pré-Pigeon à l'instant
précis où la voiture paternelle en débouche. Bien
qu'elle m'ait certainement repéré, ma mère ne se
détourne pas. Je ne peux qu'entrevoir, derrière la
glace, le couperet de son profil.

En trois sauts, me voici à la porte des Ladourd,
carillonnant et piétinant. Mauvais signe : ce n'est
pas une des filles, c'est la bonne qui vient m'ouvrir.
Je la laisse sur place et me jette dans la salle à
manger.

Ils sont tous là. Ils sont tous là, silencieux, éco-
nomisant leurs gestes, figés dans la consternation
comme dans une tremblante gélatine. Hormis le
regard du borgne qui tape droit devant lui, tous
les autres m'évitent, y compris celui de Micou,
noyé dans son potage et comme hypnotisé par les

yeux du bouillon. L'air pue la gêne, la colère et
l'humiliation. La louche tremble entre les mains
de Mme Ladourd, qui gémit :

— Vous n'auriez pas dû venir !

Ce « vous », dans cette bouche indulgente, vaut
déjà un arrêt. Tandis qu'elle sert la soupe et que
Michelle tente une diversion en mouchant une
petite, je reste planté sur le parquet, ne sachant
que faire de mes mains. Enfin Ladourd se croise
les bras.

— Je ne vous apprendrai pas, assène-t-il, que
vos parents sortent d'ici. Le moins que je puisse
dire est qu'ils se sont montrés odieux. Malheureusement, je me demande si vous n'êtes pas leur
digne héritier.

— Félicien, supplie Mme Ladourd, emmène-le
dans ton bureau.

Le ! Me voici réduit à un pronom ! Le borgne
se soulève. Son monocle d'étoffe noire me fait
peur, bien plus que son demi-regard. Mais Ladourd
retombe sur sa chaise, secoue la tête comme le
taureau qui compte ses banderilles, mugit son
indignation.

— Elle a osé dire qu'elle regrettait de m'avoir
fait confiance, que nous en avions profité pour
vous jeter notre fille à la tête. Et quel air ! Et quel
ton !... « Ne protestez pas, monsieur Ladourd, je
« suis très renseignée, j'ai ma police. D'ailleurs,
« c'est le secret de Polichinelle. Jean raconte à
« qui veut l'entendre que votre fille est sa maî-
« tresse. »

Silence. Pas un regard de mon côté. Non, vrai-

ment, je ne te haïssais pas, ma mère, j'apprends
seulement ce que c'est que la haine. Voilà bien le
genre de calomnies dont il reste toujours quelque
chose. Voilà bien l'impardonnable, pour eux
comme pour moi. A quoi bon protester avec des
mots ? Mes poings, ma mâchoire et mes yeux
protestent beaucoup mieux. En vain, d'ailleurs.
Vraie ou fausse, la chose est presque aussi grave.
Vraie, elle me juge. Fausse, elle juge une famille
où de telles perfidies sont possibles, où une Micou
ne saurait vivre. Ladourd recommence à parler et
c'est justement ce qu'il m'explique.

— Je n'en crois pas un mot, mais tu comprendras, mon petit, que dans ces conditions il n'y a
plus qu'à tirer l'échelle. Tu nous connais. Nous
sommes une famille, nous. Nous ne respirons peut-
être pas à votre hauteur, mais nous avons un vis-
cère appelé cœur. Mes filles sont libres, mais elles
ne se marieront pas à la sauvette, dans la discorde
et même dans l'indifférence. Si parfait soit-il — et
ce n'est pas ton cas — on n'épouse pas seulement
un homme, mais les siens. Dieu merci, Michelle et
toi, vous n'avez même pas été fiancés, nous n'avons
même pas voulu nous apercevoir de vos sentiments. Tout cela n'est pas sérieux, et ta mère
aurait pu faire l'économie d'un ennemi, qui lui
sera désormais tout acquis, je t'en réponds ! Quant
à vous, vous êtes encore très jeunes, vous vous
oublierez très vite.

Il se lève cette fois pour de bon. Je me tourne
vers Micou qui n'a pas bougé, qui reste écrasée
sous le poids de sa couronne de tresses. Enfin une

larme tombe dans son potage, et c'est le signal d'un déluge. Aussitôt les petites allongent de pitoyables moues, Suzanne se mouche, Cécile renifle et la tante sanglote. En quelques secondes, toute la famille en est aux hoquets. Je ne sais plus où me fourrer et quand Ladourd m'empoigne fermement par l'épaule, je lui en suis presque reconnaissant.

En rentrant, j'ai déjà pris ma décision. Fred, pour une fois, m'a montré l'exemple. Je partirai demain pour Paris. Dans la matinée, je m'occuperai du transfert de mes inscriptions de Lettres. je vendrai mes livres de Droit, j'irai toucher à la *Santima* le peu qui m'est dû. Certes, je pourrais rester chez la mère Polin, travailler sur place. Mais *La Belle Angerie* est à trente kilomètres et Michelle à moins de trois. Je ne veux courir le risque d'aucune capitulation et j'en redoute deux : celle que pourrait m'imposer ma famille et celle que pourraient m'imposer mes regrets. Mendier un arrangement ou un rendez-vous clandestin, céder à mes difficultés ou à mes nostalgies, jamais de la vie !

— Alors ? fait la veuve, dès qu'elle m'aperçoit.

Et, me jugeant sur la mine sans attendre ma réponse :

— Je m'en doutais. Venez dîner, mon pauvre petit.

Mais j'ai besoin d'être seul. Nouilles et pitié m'écœurent.

— Excusez-moi. Rien ne passerait.

La veuve soupire et n'insiste pas. Le nombre de gens qui ont soupiré pour mon compte et qui m'ont ensuite liquidé commence à devenir inquiétant. Je vois bien qu'elle voudrait m'embrasser et je ne lui en veux pas de croire aux coups de langue. Les Ladourd, eux aussi, me léchaient beaucoup.

— Je pars demain pour Paris.

Mon mois est payé d'avance. Je pourrais lui en réclamer la moitié et je suis sûr qu'elle ne me la refuserait pas. Mais les petites suppliques préfacent les plus grandes. Je partirai désargenté.

— Réfléchissez bien, dit encore la veuve, égrenant nerveusement son collier de jais.

C'est tout réfléchi. Je m'enferme aussitôt dans ma chambre, et je fais ma valise en un rien de temps. Ce que j'emporte est mince et ne la remplit pas. Qu'importe ! Le plus dur, c'est de ne rien emporter d'*Elle*, sauf un portefeuille de peau de chagrin qui ne contient ni lettre ni photo. Quand le cuir ne chantera plus sous la pression du doigt, que restera-t-il de ce délicieux enfantillage, par qui me fut révélé un autre monde ? Un monde qui se veut révolu aussitôt que révélé ! J'en ai le souffle coupé... Eh bien ! oui, quoi ! J'allais l'aimer, cette petite. Je peux le dire avec d'autant moins de honte que ma peine est plus décorative que ne l'était mon plaisir. J'allais l'aimer et ma mère s'en est doutée avant moi. Son geste la trahit, la définit. Ce qu'elle craint par-dessus tout, ce n'est pas Micou, c'est mon bonheur. Elle m'a forcé à faire mon Droit parce qu'on ne réussit guère une car-

rière embrassée contre son gré. Elle vient de provoquer cette scène dans un double but. L'un,
essentiel : « obtenir » mon insoumission pour en
tirer un argument, pour m'éliminer, rendre mes
études précaires et mon avenir incertain. L'autre,
accessoire : m'atteindre en cette région profonde
où elle n'a point accès, la malheureuse !

La malheureuse ? Quelle étrange intuition ! Un
tel satanisme ne peut relever que de la terreur ou
de la souffrance. Je croyais tout à l'heure être des-
cendu au plus creux de la haine : il s'agissait de
mon premier mépris. *Folcoche* la combattante est
devenue la *vieille*, une experte et répugnante araignée. Elle a quitté le socle où la hissait mon admiration furieuse. Signe des temps, bénéfice du « flirt
de quatre sous » : voici qu'il m'apparaît moins
urgent de la combattre que de la réduire à
l'impuissance.

Je te le dis, ce soir, au milieu de ma détresse :
ma mère, je t'y réduirai. Je t'y réduirai par ce
bonheur qui t'offense et auquel il faudra bien que
je parvienne un jour. (Te fut-il donc refusé ou
l'as-tu perdu ?) Certes, nous sommes loin du but
et tu peux encore être satisfaite. Couché tout
habillé sur mon lit, je *crâne* pour m'étourdir. Les
cheveux en couronne, les yeux bleu layette, les
oignons de jacinthe, la jupe écossaise... ma petite
gosse perdue !

Mais pleure donc, Brasse-Bouillon, ça ne désho-
nore personne.

Cette larme est tombée, mais le crocodile a trop

de dents. La nuit porte conseil. Mauvais conseil, parfois. Ma seconde réaction sera différente, très Rezeau. Demain, à l'aube, j'estimerai que les Ladourd m'ont bien facilement éliminé, que Micou s'est montrée au-dessous de tout, la pleurnicheuse ! Au moment de prendre mon train, une inspiration farouche me poussera chez un fleuriste et je ferai envoyer à Mlle Michelle Ladourd une couronne de fleurs blanches, une magnifique couronne mortuaire barrée de la formule rituelle : *Regrets éternels.* L'instinct me commande : mieux vaut détruire que perdre.

XIV

Un Rezeau valet de chambre, quel scandale ! Je n'avais rien trouvé de mieux que ce gilet, rouge et noir, même pas neuf et trop grand pour mes quatre-vingts centimètres de tour de poitrine. Le rouge de la honte, en cette affaire, je le réservais pour la famille. Voilà qui devait la vexer jusqu'au sang, la famille ! Il faut l'avouer : je prenais assez facilement mon parti d'une épreuve aussi désobligeante pour elle. L'abaissement de tous les Rezeau, en ma personne, telle était bien l'unique source d'humilité que je reconnusse agréable, et le noir de la révolte me consolait, tant bien que mal, de l'autre couleur de mon gilet. D'ailleurs, répétons-le, je n'avais rien trouvé d'autre et cette solution, proposée par l'Entraide des Etudiants, présentait de gros avantages en me défrayant de tout. Elle m'assurait aussi de mon courage. La nécessité précède toujours le courage, mais l'orgueil embauche aussitôt cette autre raison sociale. En son nom, les abdications d'échine, les humeurs rentrées dans ma condition servile devenaient force de caractère.

« Avec ces poisons-là, faut être philosophe », rabâchait la rousse Odile, interprète, téléphoniste et quelque peu majordome, tandis que l'une ou l'autre des demoiselles Pomme, mes patronnes, braillait ses ordres dans l'ébonite.

Cette « philosophie » des pauvres, ce décor de résignation, cette sous-marque ancillaire du stoïcisme ne me satisfaisait guère ! Mais quand on ne garde plus ses distances, on peut encore songer à ses hauteurs. Pour nous sauver de Satan, Dieu s'est fait homme ; pour me sauver du mien, je pouvais bien me faire valet de chambre, provisoirement, jusqu'à ma résurrection. Au surplus, ne disons pas : valet de chambre. Mes fonctions ambiguës, en ce meublé chic de l'avenue de l'Observatoire, m'autorisaient à me parer du titre de maître d'hôtel. Gabrielle Pomme, la cadette, la véritable directrice, m'avait fourni un frac trop petit en même temps que le trop grand gilet.

— En principe, m'avait-elle dit, vous faites les chambres des messieurs, tandis qu'Emma fait celles des dames. Le soir, à partir de six heures, mettez-vous en habit. Je ne tiens pas restaurant, mais un certain nombre de bons clients commandent de petits soupers à la brasserie voisine.

Très dignes, entièrement définies par leurs manteaux d'astrakan, leurs foulards de soie grise et leurs voix de tête, les demoiselles Pomme — calville et reinette, l'une encore jeune et l'autre déjà ridée — entendaient bien ne rien entendre quand sautaient sous leurs lambris les bouchons de champagne des rendez-vous. A partir d'un certain prix (et les leurs étaient sérieux), tout locataire est une personne comme il faut. Au sein d'un certain confort (et leurs moquettes étaient épaisses), la discrétion étouffe la critique. C'est à peine si Michelle Pomme, l'aînée, manifestait du sourcil quand trois jeunes personnes s'enfermaient ensemble au dix-huit, chambre de luxe (réservée à cette pelisse énigmatique qui s'appelait M. le Député), ou lorsque l'entrebâillement d'une porte d'acajou laissait jaillir, en direction de la salle de bains, la flèche d'un déshabillé diurne.

— Aussitôt que cette dame sera sortie, Jean, vous irez rincer la baignoire, décrétait la vieille fille.

Je n'aimais point celle-ci. Que cette ratatinée, brodant quelque taie d'oreiller au centre du hall, portât le prénom qui me restait sensible, c'était déjà bien agaçant. Mais qu'elle me lançât mon propre prénom, à tout bout de champ, exactement comme j'en usais avec mes fermières, jadis, voilà ce que je ne pouvais supporter d'elle. Le pire était son chuchotement, glissé dans l'oreille des partants : « N'oubliez pas le garçon, s'il vous plaît. » Le pire était ce clin d'œil, ce conseil d'avoir à libérer au plus vite une de mes mains, encombrées par un excès de valises de cuir, pour la tendre au distingué crachat, à l'excellente insulte du pourboire. Mon dégoût se voyait de loin.

— Et puis après ! C'est notre dû, pestait la rousse du standard. Avec tes grands airs, tu effarouches le client.

Elle m'arrachait des mains pièce ou billet, jetait cette aumône dans la cagnotte commune, en vue de la répartition du soir. Parfois, l'après-midi, quand j'avais fini de passer l'aspirateur dans les couloirs ou d'astiquer les chromes des fauteuils, je venais m'accroupir aux pieds du haut tabouret de la téléphoniste.

— As-tu fini de regarder mes cuisses ? grinçait-elle, avant de constater : celui-là, alors, avec ses livres !

Les cuisses d'Odile ne m'intéressaient pas, en effet. Tandis que leur propriétaire, vexée, enfonçant avec rage ses fiches multicolores, baragouinait en diverses langues au Péruvien du douze ou à l'apatride du vingt et un, le gilet rayé apprenait gravement *les altérations de formes causées en ancien français par l'*s *de flexion.*

Ainsi allaient passer six mois. Un horaire, je l'avais appris au collège, est un concasseur de souvenirs : les vingt-quatre dents des heures les happent, les broient en petits détails, et le temps, ce rouleau, aplatit le tout dans la mémoire. La mienne ne se souvient guère de cette période effritée. Je crois bien qu'elle s'est efforcée de

l'oublier, à cause du gilet. En cherchant, je rever-
rais sans doute Gabrielle et Michelle, les deux
archanges du meublé, laissant palpiter leurs
écharpes et volant au secours des moindres désirs
de la clientèle ; Emma, la petite bonne, secouant
ses chiffons par la fenêtre, croupe en l'air et tête
en bas ! Charlotte, la cuisinière, Martiniquaise
bien cirée ; Emma, encore, en diadème de dentelle
et jupe écossaise, me dédiant le sourire en dessous
des bonniches de seize ans ; le col de loutre du
député ; et cette Juive solennelle, affamée de
cigarettes turques et toujours debout, au fond
de sa chambre, entre les rideaux de velours rouge,
qui semblaient s'ouvrir pour livrer passage
à l'armée de ses parfums. J'entends vaguement
cette macédoine de voix sans importance :

— Vous n'avez pas nettoyé le bidet du sept.

— Avec cet Argentin, ton prédécesseur, Gustave,
aurait fait ses cent balles.

— Voilà le député. Une fiche pour trois trous.

— Jean, mon courrier !

— Jean, ma valise !

Seules, mes voix, les intérieures et les extérieu-
res, me restent vraiment présentes. A l'une des
Pomme : « Mademoiselle, je n'ai plus de Nab. »
A Micou : «Soixante-cinq, soixante-dix, quatre-
vingts jours que je ne t'ai vue, poupée ! » A
la petite bonne, dans un élan des mains : « On ne
passe pas, ma chatte. » A Madame Mère, dans un
autre élan : « Tu dois en faire une tête ! » A la
cuisinière : « Non, Charlotte, je ne bois pas de
vin. » Et cette dernière réplique m'apparaît, je ne

sais pourquoi, la plus caractéristique. Parmi ces
affiliés au syndicat des Gens de maison, j'étais
le seul qui dédaignât l'aramon. Par décret de
notre mère, à *La Belle Angerie*, nous n'en buvions
jamais et je lampais les restants de vin de messe,
en guise de protestation. Avenue de l'Observatoire,
le gros rouge me faisait l'effet des pourboires.
On a ses petits mépris quand on ne peut plus en
cultiver de grands.

Ainsi passaient les mois. Mon jour de sortie
ne me permettait même pas d'échapper à cette
grisaille : je l'employais à potasser, dans mon
septième. Chaque jour, du reste, de neuf heures
à minuit, je reprenais mes livres, refusant d'entendre Emma qui criait à travers la porte : « Alors
pas moyen de t'emmener une fois au ciné ? » et
refusant d'entendre Odile qui rétorquait : « Laisse
donc, Monsieur s'instruit » avec cette hargne que
professent les conscrits pour les engagés volontaires, les pauvres de profession pour les pauvres
d'occasion, les condamnés à vie pour les condamnés à temps. La tentation me chatouillait les
genoux, mais une autre voix murmurait la
prophétie : « *Je te promets un avenir dont tu
n'auras pas lieu d'être très fier* » et je n'étais pas
assez fier du présent pour lui donner raison trop
longtemps. Je baissais le nez sur mes cours, tandis que Charlotte commençait à ronfler de l'autre
côté de la cloison et que, dans le couloir, deux
petites vieilles murmuraient jusqu'à une heure
avancée de plaintives considérations sur la hausse
des poireaux.

Bien entendu, je fus reçu aux examens de fin
d'année. Mais que ce « bien entendu » ne vous
agace pas trop ! Il me manquait un point dont le
jury me fit grâce, eu égard aux circonstances
exceptionnelles dans lesquelles je poursuivais
mes études. J'en bavais de rage, en rentrant
avenue de l'Observatoire, où je voulus incontinent
marquer le point manquant. Mais la petite Emma
se montra plus rétive, ce soir-là, que mes exami-
nateurs. Elle se laissa bien conduire au cinéma,
se laissa embrasser, palper, ramener au bercail,
hisser au septième, mais, une fois arrivée chez
elle, me tira son verrou au nez. Cependant, dans
ma chambre, j'éclatai de rire. Je venais de comprendre pourquoi cette insignifiante gamine
m'intéressait. Malgré son menton rond, ses cheveux courts, sa syntaxe et ses mains rugueuses, elle
portait une jupe écossaise ; elle avait les yeux
bleus, elle ressemblait à Micou.

— A Micou ! Quel toupet ! Tu me sabreras ça
dans les huit jours, fis-je tout haut.

Je riais encore, sans en avoir aucune envie.
Depuis six mois, je m'efforçais de considérer
l'affaire Micou comme réglée. Lune de lait, lait
caillé. Un sentiment qui n'engageait pas l'avenir,
ne devait pas engager le souvenir. Il fallait y penser le moins possible, se précipiter au besoin sur
livres et torchons. J'oubliais assez bien. Mais il
y a trois sortes d'oubli : celui du cœur, celui de
l'orgueil, celui des sens. Un de ces oublis-là fonc-
tionnait mal, maintenait au fond de moi une

gêne sourde, s'irritait devant les jupes écossaises...
Emma ressemblait à Micou ! Tant pis pour elle.
Certains regrets s'exécutent très bien en effigie.

Il me fallut deux mois pour y parvenir. Par une
nuit de septembre, enfin, la jupe écossaise glissa
sur le carreau descellé de ma chambre. Avouons-le
sans gloire : Emma était pucelle. C'est une chose
qui se trouve, même chez les petites bonnes, mais
qui se perd facilement sous les combles. Voilà
pourquoi je dis qu'elle était pucelle : je ne dis pas
qu'elle était vierge. Tous les Rezeau du monde
savent bien que, seules, les demoiselles de bonne
famille ont une virginité précieuse dont la perte
est une catastrophe au moins cantonale, tandis
que les négligeables enfants du peuple n'ont qu'un
négligeable pucelage, dont la disparition ne tire
point à conséquence et qui doit être considéré par
les usagers comme la bande de garantie des pan-
sements aseptiques. La patiente semblait elle-
même de cet avis.

— Et voilà, soupira-t-elle, il fallait bien que ça
m'arrive !

Tassée au fond du lit, magnifiquement nue sur
les draps douteux, pudique à force d'être nue, elle
vivait cette méprisable aurore. Un mauvais mous-
seux, bu aux frais des sœurs Pomme, pétillait au
fond de ses prunelles bleues... Bleu layette, elles
aussi, mais de ce bleu des layettes qu'a feutrées
et ternies une année de pipi au lit mal lessivé.
Pour ma part, je n'étais pas autrement satisfait.
Une fois remporté, ce succès facile m'irritait
autant qu'une défaite. N'était-ce point d'ailleurs

une véritable défaite ? Comme ma mère, j'appartiens à cette catégorie d'êtres qui sont les bourreaux de leurs actes, en ce sens qu'ils les accomplissent souvent sans les souhaiter, au nom d'une consigne intérieure... Etrange consigne, en l'occurrence ! Devant le désir, toutes les femmes sont solidaires, parce qu'elles sont interchangeables, et celle qui se donne insulte en effet à celle qui se garde. Mais, pour insulter l'amour, le désir ne peut exciper d'aucune procuration qui ne soit un faux. Le sacrifice des présentes n'extermine pas les absentes. Pauvre magie que cette substitution ancillaire ! Dégâts inutiles. Confusion des genres. Ma Pentecôte n'était pas venue : mon démon familier m'habitait toujours.

Pitoyable affaire, en vérité ! Quinze jours plus tard, la rousse (supposons qu'elle était jalouse) nous avait dénoncés auprès des sœurs Pomme.

— Je ne veux pas de coucheries au septième ! siffla Mlle Gabrielle, qui ne les tolérait que luxueuses et payantes, à l'abri de ses portes d'acajou. D'autre part, ajouta-t-elle, voici deux fois qu'un inspecteur des meublés m'interroge à votre sujet. Je me demande quelle bêtise vous avez bien pu faire dans votre pays pour qu'on vous surveille ainsi. Pas d'histoires dans cette maison ! Il vaut mieux que vous vous en alliez. Quant à Emma, je la renvoie chez ses parents.

Je filai le soir même. Un instant, par bravade, j'avais eu l'intention d'emmener Emma. Mais elle était sortie. Quand elle rentra, les sœurs Pomme (qui craignaient sans doute quelque affaire de

mineure et ne tenaient pas à éveiller l'attention
de la Mondaine) lui sautèrent dessus avant moi et,
tambour battant, la conduisirent à la gare Mont-
parnasse, d'où elle regagna, j'imagine, sa ferme
natale.

XV

J'EN *bavais*. Chassé de l'avenue de l'Observatoire, mais nanti d'un petit viatique, je m'étais d'abord installé dans un hôtel borgne de la rue Galande, et, comme les vacances se terminaient, j'avais immédiatement pris mes nouvelles inscriptions. Puis, vite désargenté, je m'étais mis en chasse. Mon unique certificat (*Je soussignée, Gabrielle Pomme, certifie avoir employé M. Jean Rezeau en qualité de valet de chambre du 6 mai au 26 octobre 1934*) s'avéra plus dangereux qu'utile : un coup de téléphone est vite donné. Trois bureaux de placement, sans compter les services de l'Entraide, me furent ainsi fermés. Je n'insistai pas et me rabattis sur les petites annonces : *Messieurs distingués, sans connaissances spéciales...*, etc.

On sait ce que cela veut dire : on demande bons

à tout et bons à rien. Voici « l'inspecteur général »
qui vous reçoit dans un bureau du Neuvième, fort
éloigné du palace de sa Maison mère. Il s'agit
pour lui d'employer, c'est-à-dire d'exploiter quiconque, de presser le citron. Il s'agit pour vous,
en fait, d'assurer votre famille et vos relations,
toutes personnes qui se laisseront mieux faire
que par un inconnu. Comme je n'ai ni relations ni
famille à saturer de polices, je suis éliminé en un
rien de temps par ma courbe de production.

Voilà des aspirateurs, des machines à laver, des
batteurs de tapis. Telle maison offre un « stage »
payé de huit jours à ses candidats vendeurs :
chacun s'y rue. Pour huit jours, évidemment.
« Rue Réaumur, murmure-t-on dans le cercle des
bons à tout (qui finissent par se connaître et refi-
ler les plus mauvais tuyaux, car la concurrence
sévit par en bas plus cruellement que par en
haut), rue Réaumur, on embauche des *courtiers-
releveurs de photos.* » J'y cours. Je le sais
d'avance, il s'agit d'une formule éculée, qui a eu
ses beaux jours en 1930 et qui a inondé les cam-
pagnes d'agrandissements peinturlurés et de
cadres de bois blanc doré. Nous essaierons d'en
vendre, pendant une semaine, à de méfiants
banlieusards qu'ont visités dix maisons rivales.

Ensuite nous sombrerons dans le porte-à-porte
des produits d'entretien, dans la vente des
« cuvées réservées » (réservées aux palais des
chevaliers du Gâtevin), dans l'article de Paris
« made in Germany ». Nous vendrons *Holabée* ;
nous traverserons les boulevards en recomman-

dant à tout venant de se précipiter chez
Mme Sphingès, voyante scientifique, dont l'adresse
s'étale en caractères rouges un mètre au-dessus
de notre dos ; nous charrierons au petit galop,
dès quatre heures du matin, des cageots de choux-
fleurs entassés sur un diable des Halles, pousse-
pousse pour affamés de race blanche...

Abrégeons. Pendant près de deux ans, je ferai
cet introuvable n'importe-quoi offert à l'innom-
brable n'importe-qui. Je vivrai, comme tant
d'autres, dans la hantise des cent francs que
coûtent mes trente mètres carrés de papier à
punaises, voire des cent sous nécessaires à l'achat
du ticket rose (repas sans viande) de la *Famille
Nouvelle*. Excellent antidote contre la vanité. Il
n'y a là ni de quoi se vanter, ni de quoi se
plaindre. Grâce à Mme Rezeau, nous sommes
entraînés, nous savons nous passer de feu, de vin,
de longs menus, de couvertures épaisses, de chaus-
sures neuves, de linge propre et autres futilités. Je
dis : nous, car je ne suis pas seul. Dix mille camarades jouent aux clochards. C'est l'époque où le
ministre des P. T. T., magnanime, embauche « sans
examen préalable », en qualité de manipulants, les
agrégés de philosophie et les licenciés ès lettres,
que leur titre semble qualifier pour le triage.
Cependant, je poursuis mon programme, je veille
sur des livres coûteux, j'entends bien obtenir finalement l'un de ces diplômes qui jonchent les rues
comme les papiers gras et n'ont pas même, comme
ceux-ci, enveloppé quelque pâté.

— Vous devriez, me propose l'un de mes pro-

fesseurs, solliciter une bourse ou chercher à vous
faire admettre à la Cité universitaire. Je vous
appuierai.

Je ne tiens pas tellement à la bourse, ni à la
Cité. J'étudie, mais je ne suis guère un étudiant.
Au surplus, l'autorisation paternelle — je suis
toujours mineur — me fait constamment défaut.
Serait-elle inutile que ces démarches ne sauraient
aboutir : l'enquête conclurait à la solvabilité de
ma famille. Mon origine se retourne contre moi.
Je ne suis pas pauvre : je suis un démuni, pour
ne pas dire un déclassé. On ne s'inquiète pas des
gens inquiétants.

On ne s'inquiète pas... Ingratitude noire ! On
s'inquiète de moi quelque part. La police interroge
régulièrement mon hôtelier qui, par bonheur, en
a vu d'autres et se contente de me souffler dans
l'oreille, de temps en temps : « Ils sont encore
passés, aujourd'hui. » Le quartier ne manque pas
de jupes, qui, elles aussi, s'intéressent parfois à
ma jeunesse. Ne citons personne, sauf la dernière
en date : Antoinette. Je ne nie point que si vingt
métiers font la misère, vingt aventures font la
solitude. Mais n'oublions pas ma voisine de
palier : Paule, une copine. Une copine de draps,
au besoin, mais seulement en cas de besoin. Une
« amie » qui est restée une amie, sans guillemets.
Une muse froide, et ceci ne saurait étonner de la
part d'une fille qui porte le prénom glacé de ma
mère.

Pôle sud, toutefois, si ma mère est ce pôle nord

qui affole toujours ma boussole. Mme Leconidec,
selon sa carte d'identité qui précise : yeux noirs,
cheveux noirs, visage rond, nez rectiligne, teint
olivâtre. Née d'un capitaine au long cours et d'une
métisse brésilienne. J'ajoute : ancienne étudiante
en médecine dont la carrière semble avoir été stop-
pée par des caprices sentimentaux et qui, faute de
mieux, s'est rabattue plus tard sur un diplôme
d'infirmière.

Aujourd'hui, Paule Leconidec, qui est employée
dans une clinique privée et travaille de nuit un
jour sur trois, est en train de se coucher. Elle
vient de m'appeler à travers la porte et je me suis
levé d'un bond, car je ne peux rater cette occasion
de déjeuner. A la clinique, Paule est *nourrie* (merveilleux adjectif !) et en profite pour me ramener
de temps en temps quelque reste de jambon, une
pomme ou des haricots cuits dans un petit pot de
camp : victuailles chipées, assure-t-elle, mais probablement prélevées sur sa portion.

Tandis que je vide rapidement le pot de camp,
sans remercier, Paule se déshabille devant moi.
Elle ne se retourne même pas. Cette impudeur n'a
rien de provocant ni de calculé. Si je voulais coucher avec elle, je n'aurais qu'à le lui demander :
elle me rendrait ce service, comme beaucoup d'autres. J'ai fait sa connaissance le jour même de
mon arrivée à l'hôtel : le gérant avait par mégarde
mis son broc dans ma chambre. Le lendemain,
elle m'enseignait le truc (deux épingles fichées à
travers les fils) pour obvier à la douille de sécu-
rité, qui empêche les locataires de brancher un

réchaud clandestin à la place de l'ampoule. Puis
nous nous sommes rencontrés quotidiennement.
Moi, le farouche, j'en suis venu à lui raconter mes
petites histoires ; je lui ai beaucoup parlé de
Micou, qu'il faut renier, et un peu de ma mère,
que je ne renie point. Pendant deux mois, sa gentillesse m'a tenu à distance. J'avais pourtant envie
d'elle, bien qu'elle ne soit plus très fraîche et parce
qu'elle semblait difficile. Puis, brusquement, j'ai
cessé d'en avoir envie, le jour où je l'ai entendue
me dire, d'une voix calme, alors que je venais de
l'embrasser à l'improviste :

— Excuse-moi, j'oubliais que tu as vingt ans. Si
ça te gêne vraiment, viens ce soir dans ma chambre. Ce soir et demain et après-demain... enfin,
jusqu'à ce que nous soyons débarrassés de cette
histoire. Après, nous serons tranquilles.

Je la rejoignis dans sa chambre, évidemment.
Par acquis de conscience, j'allais dire : par politesse. Elle m'y reçut avec l'entrain que la bonne
volonté peut tirer d'une longue science, et je lui
fis honneur à la manière des jeunes critiques qui
applaudissent *la centième* d'une pièce ennuyeuse.
Les bontés, qui ne sont plus que de la bonté, sont
un triste accident du désir. Huit jours plus tard,
je m'intéressais — pour huit autres jours — à
une certaine Gisèle, barmaid chez Rouzier. Paule
n'en parut pas vexée. Elle affichait même de la
satisfaction, une satisfaction modérée, compara-
ble à celle du première classe qui coupe aux res-
ponsabilités et aux avantages du galon de caporal.

— Tu vois, disait-elle, tu ne me désirais même

pas ; tu désirais seulement que je te cède. C'est un sentiment dont il faudra te méfier, en amour, si tu ne veux pas continuer à faire des dégâts.

Depuis lors, Paule s'est mise à me parler des hommes avec une indulgente animosité. Encore qu'elle ne livre rien de son passé et soit officiellement divorcée d'un lieutenant de vaisseau, c'est une ancienne *polyandre,* comme dirait un professeur de sociologie. Elle a dû avoir beaucoup d'aventures, elle ne les évite pas tout à fait, mais ne les cherche plus. Il n'y a rien à vaincre chez elle, même pas la lassitude. Voilà qui, pour moi, la rend asexuée (encore que, de temps en temps, je l'avoue, je passe la nuit dans sa chambre). Parler des femmes, au pluriel présent, semble normal chez un jeune homme : mais parler des hommes au pluriel passé déprécie une femme plus sûrement que la ménopause.

Paule achève de se déshabiller sans troubler mon hargneux silence. Comme on enlève un dentier, elle retire de son doigt et pose sur la table de nuit son solitaire, vestige (de quelles splendeurs, de quelles amours passées ?) jalousement conservé et dont les feux offensent l'éclat pauvre de ses yeux. Puis elle range son linge sur le dossier de la chaise et saute enfin dans son lit dont un ressort vibre longuement. D'un geste sec, je lui ai jeté mes couvertures, puisque nous ne dormons pas à la même heure aujourd'hui. Elle se couche sur le ventre, secoue la tête pour s'installer au milieu de ses admirables cheveux noirs (faufilés de blancs) et murmure en bâillant :

— Tu fais une drôle de lippe, ce matin. Pourquoi n'es-tu pas allé aux Halles ?

— Je n'avais pas de quoi louer mon diable. Mais j'ai vu qu'on demandait des laveurs de carreaux, dans *L'Intran.*

— A tes souhaits ! Il fait moins six.

Je ne le sais que trop. Depuis cinq minutes, la neige floconne de travers, commence à ouatiner l'appui de la fenêtre.

— *Edelweiss effeuillés aux kermesses des anges,* cite la jeune femme. Ce que la poésie peut être confortable !... J'essaie toujours de te faire entrer à la clinique comme auxiliaire. Avec un service midi-huit, tu pourrais aller aux cours le matin et potasser le soir, de neuf à onze ; tu serais sûr de faire au moins un repas chaud tous les jours... A part ça, rien de neuf ?

L'espoir fait saliver ma dent creuse. Depuis quelque temps, je suis moins certain qu'un tel souci soit indigne de m'intéresser. Je ravale cette salive et je grogne :

— Pas grand-chose. J'ai rendez-vous avec une certaine Suzanne, la fille du cordonnier de la rue Saint-Séverin. Ça ne marche plus du tout avec Antoinette. Je m'en fous, tu sais, mais je crois bien que je suis cocu.

Paule écarte une mèche et relève le nez.

— C'est donc ça !

Puis elle pouffe.

— Excellente école ! Tu disposeras moins des

autres quand on aura quelquefois disposé de toi.

— Il y a aussi les flics de Madame qui sont repassés hier soir. La vieille est tenace. Je ne comprends pas pourquoi elle tient tant à ses renseignements et ne me réserve pas d'autres vacheries.

— Celles que tu te réserves à toi-même lui semblent sans doute suffisantes.

Paule replonge sous les draps. Sa voix devient aigre, en traversant la toile de coton.

— Tu m'ennuies, avec ta mère ! L'humanité est capable de tout, mais j'ai tout de même passé l'âge de croire aux ogres et aux ogresses. Laisse-moi dormir, Petit Poucet !

— Dors donc, idiote !

Rezeau cadet, les cheveux ébouriffés, le menton en bataille, s'est dressé sur ses talons. Quelle est donc cette fille, qui lui veut du bien, si sottement, qui ose toucher à ses mythes, à ses raisons de vivre et de combattre ? Paule se retourne du côté de la cloison en soupirant :

— Il y a des moments où tu découragerais une sainte.

Le Petit Poucet se retire, furieux. Pour parcourir ce long chemin qui nous sépare de la compréhension de nos plus intimes amis, il n'existe pas de bottes de sept lieues. Ce n'est pas la première fois que je m'en aperçois : on ne m'écoute jamais qu'à moitié quand je parle de ma mère. Même chez une Paule Leconidec, revenue de tout, rien qui ne s'effarouche mieux que ce mélange secret

d'arbres de Noël, de petits Jésus, de petites gifles,
de cajoleries, de tartines quotidiennes et de tartes
dominicales, précieux trésor de souvenirs entassé
sous les épluchures de la vie au fond des pires
poubelles. En déchirant mon enfance, je touche à
celle des autres. Comme l'âge d'or, dont on pré-
tend qu'il se trouve derrière nous, le paradis se
confond avec les limbes. L'enfance abandonnée :
crime impensable, exagération de plumitifs ! Ne
nous étonnons plus qu'il ait fallu cent ans pour
supprimer ces maisons peuplées de petits mons-
tres qui n'étaient point aimés. A-t-on idée de ne pas
se faire aimer, de mettre ainsi en cause les ten-
dresses gratuites de tous ceux qui ont eu le mérite
d'y réussir ? L'indignation a toujours facilement
sombré dans l'incrédulité. « Rentrez ce moignon ! » crie-t-on d'abord. Et ensuite : « Que me
chantez-vous ? Ce n'est pas un moignon. Petit
Poucet, petit douillet, c'est un bobo de rien du
tout ! »

J'ai ouvert ma fenêtre et je songe à mes bobos,
les coudes sur la barre d'appui. Ma colère tombe.
Entier, je suis bien entier. Dur et plein, également.
Je ne m'ennuie pas non plus, je n'ai pas le temps
de me payer ce luxe. Que me manque-t-il donc ?
Deviendrais-je romantique ?

En bas, dans la rue, voici de vraies victimes. La
putain du 50 est déjà sortie et promène ses yeux
fendus, ombragés de noir, mouillés comme un
sexe, ses yeux qui ont des regards en forme de
doigts pour accrocher le passant. Vêtu d'un dro-
guet d'asile, qui bâille de partout et où brillent les

boutons métalliques des braguettes administra-
tives, Tave trottine dans la neige : je le connais,
ce vieux tatoué, dont les mains, le front et le cou
sont couverts d'inscriptions bleuâtres, d'injures
indélébiles qui n'ont rien à voir avec le véritable
texte de son âme et sont les surcharges de cette
peau, de ce palimpseste. Aujourd'hui, la mère
Mobe s'est levée trop tard et fouille vainement
dans les poubelles, déjà rançonnées, traînant son
sac de jute raccommodé à la ficelle, son fichu de
serpillière et ses cheveux coagulés à la mode des
très anciennes toiles d'araignée. Comme tous les
matins à l'heure du cabas, un accordéon d'aveugle
trépigne dans l'aigu et dégringole dans le grave.
Mais voici le pire : cet étroit visage de rat, cet
enfant d'égout, ce petit huitième ou douzième
nourri de raclées et vêtu de courants d'air, qui
s'avance sur un reste de galoche en grignotant
des yeux l'étalage des épiceries. Dénonciation
totale ! Que valent ici les plaintes et la révolte
d'un Brasse-Bouillon, gosse mal aimé, mais non
martyr, qui figura tout de même au carnet rose
du *Petit Courrier*, qui fut tout de même logé,
nourri, instruit, préparé pour ses revanches, épar-
gné par le sordide ? Je peux fermer la fenêtre. Je
me sens moins intéressant. Je n'irai pas m'excuser
auprès de Paule, tel n'est pas le genre de la maison. Mais convenons-en : elle n'a pas tout à fait
tort.

XVI

L'ANNIVERSAIRE de mon indépendance était déjà
dépassé. J'avais tenu le coup. J'en étais plus
étonné que glorieux. Je n'éprouvais pas l'impression d'avoir réellement vécu cette année, je ne la
considérais pas comme importante et, aujour-
d'hui, je m'en souviens à peine. C'est que les
années, nous les estimons comme les fruits : à la
saveur et au poids. Nous oublions que la pulpe
n'est pas la graine. Nous tenons pour nulles ces
périodes intermédiaires qui sont essentielles dans
notre évolution, mais qui n'ont pas eu le pouvoir
de faire date. Nous adoptons en somme, à notre
usage, les procédés de l'histoire qui néglige les
époques creuses : pour nous aussi, cette qualité
de passé rétrécit au lavage du temps.

Que dire du nouveau Jean Rezeau, sinon répéter
qu'il apprenait à être pauvre, à connaître le véri-

table prix — pas en argent, mais en heures de
travail — d'une paire de chaussettes, d'une esca-
lope et d'une chambre d'hôtel ? A ne plus pouvoir
se désintéresser de ce prix, dans la mesure où il
est difficile de se désintéresser de sa peine. A pos-
séder distraitement ce très petit nombre de choses
qui sont vraiment indispensables et à désirer
aussi distraitement celles d'entre ces choses indispensables qu'il ne possédait pas (c'est-à-dire la
plupart). Piètre exercice, comme l'on voit, et qui
n'exige pas une chronique ! D'ailleurs, rassurez-
vous : Jean Rezeau n'y parvenait pas... Quoi qu'elle
en pense, il n'y a pas de saints dans ma famille.

Je faisais ce que je pouvais. Je ne savais plus
toujours très bien où j'en étais. Fort différent de
Brasse-Bouillon, je lui ressemblais encore beaucoup. Je souhaitais prolonger mon combat, mais
je désirais aussi vieillir pour être débarrassé d'un
excès d'efforts, je n'étais pas assez satisfait de
mon âge pour souhaiter le conserver. A vrai dire,
j'éprouvais la curieuse impression de ne pas avoir
d'âge précis. Il sera toujours difficile d'en donner
un à ceux qui n'ont pas été de vrais enfants et
pour qui l'enchaînement des différentes étapes de
la vie n'est pas valable. Par ailleurs, un ouvrier
de vingt ans, qui vit de son salaire, donc de ses
muscles, n'a pas du tout le même âge qu'un étudiant de vingt ans, qui attend de vivre de son futur
diplôme, qui est socialement beaucoup plus jeune.
Or, j'étais à la fois cet étudiant qui s'asseyait en
Sorbonne et ce garçon qui ne pouvait s'asseoir

devant son assiette qu'après l'avoir remplie. Je vivais sur deux rythmes, j'appartenais à deux races, j'étais une sorte de frontalier.

La société n'aime pas ces métis. Laveurs de carreaux, brosseurs, porteurs des Halles savaient me rappeler au sentiment des convenances, de la ségrégation sociale, aussi bien que mes camarades fortunés. La xénophobie est une tendance naturelle des hommes, parce que les habitudes différentes des émigrés semblent un défi à leurs propres traditions, et les peuples les moins évolués sont les plus pointilleux, précisément parce qu'ils souffrent d'un complexe d'infériorité plus aigu. L'ostracisme populaire envers les déclassés procède du même état d'esprit. L'expression *fils de famille* (dont l'absurdité n'efface pas le caractère injurieux à l'égard de toutes les familles) trouve aujourd'hui sa contrepartie dans l'expression *fils du peuple*.

— Tu n'es pas né chez nous, tu n'es que par hasard avec nous, tu ne peux pas tout comprendre, une partie de nos problèmes t'échappera toujours.

Combien de fois (sous des formes plus frustes) ai-je entendu cette réflexion ! Combien de fois m'a-t-on opposé ce nouvel état de grâce en dehors duquel il n'y aura pas de salut ! Je demeurais stupide devant ce retournement inattendu du préjugé de la naissance et je ne parvenais à m'en réjouir qu'en songeant aux Rezeau. Ainsi, au moment même où la bourgeoisie commençait à s'interroger sur son excellence, à scruter sa mau-

vaise conscience, les faubourgs annexaient sa
devise et proclamaient : « C'est nous qui sommes
l'essentiel ! » avec d'autant plus de force et de raison qu'ils pouvaient se permettre d'ajouter : « Car
nous pouvons nous passer de vous. »

Se passer des Rezeau et de leurs pareils, soit !
Mais se passer de moi, jamais de la vie ! Tel est,
je l'avoue, le biais par lequel je pénétrais dans un
autre monde. L'instinct de conservation fournira
toujours aux révolutions les intellectuels et les
techniciens qui leur sont nécessaires et qu'elles
éliminent après avoir forgé les leurs. Combattre
pour sa propre destruction est une fin qui n'est
pas toujours folle : il y a beaucoup d'hommes-
torpilles. Les autres subissent l'aimantation ou le
vertige de l'inéluctable, en songeant pour se ras-
surer : « Après tout, le christianisme a bien embauché les Gentils. »

Je glose, en ce moment, je le sais. C'est un
aspect de la question qui doit être souligné. Un
petit bourgeois peut aller au peuple avec le cœur
sur la main : dans son autre main, il y a sa cervelle, moins naïvement offerte. Un petit bourgeois,
dont les siens disent avec effroi qu'il s'encanaille,
ne se met jamais de plain-pied avec le peuple :
il se penche, parce qu'il est né avec des talons.
Ayons d'ailleurs le courage de le dire : quelle que
soit la formule politique qui semble devoir assurer le triomphe d'une société sans classe, cette
société, si elle s'impose, nous ne la vivrons pas ;
nous la subirons. Ceux qui sont nés avec un complexe de supériorité font rarement *des égaux* :

magnanimes, ils seront toujours asservis à leur
pitié, à la gloriole de leur abdication. Mais que
ceci nous console de cela : le peuple en marche
vers son triomphe ne sera pas le peuple qui en
profitera. Il faut d'abord que *plebs* se hisse à *popu-
lus*, qu'une génération oublie l'autre. Ceux qui
sont nés avec un complexe d'infériorité ne feront
pas non plus des égaux : ils seront toujours asservis à leur revanche, sinon asservis (tout court) à
ceux qui leur en suspendront le bénéfice pour leur
offrir la satisfaction de la rendre universelle. Au
nom du passé ou au nom de l'avenir, nous sommes tous des sacrifiés.

Cependant Paule continuait à m'aider. De toutes
les manières. Quelle agressive patience ! Voilà que
j'exprime, pour la première fois, quelque chose
qui ressemble à de la gratitude. J'ai oublié bien des
visages ; je n'oublierai pas celui-là qui eût mérité
de battre à son effigie le louis d'or de mes vingt
ans, s'il ne l'avait prodiguée, jadis, à tant de monnaie douteuse. Je n'oublierai pas surtout cette
tendresse équivoque, devenue pure à force d'être
gratitude.
Ma situation s'améliorait. Paule n'avait pas
réussi à me faire entrer dans sa clinique, mais
m'avait d'abord trouvé un emploi de secrétaire
auprès d'un de ses anciens malades. Il est vrai
qu'au bout de quinze jours mon nouveau patron,
circonvenu par une mystérieuse intervention, me
remerciait sans explication. S'acharnant alors à
me sauver d'une ennemie dont elle commençait à

comprendre les intentions, Paule intrigua, obtint des recommandations médicales et me fit entrer comme démarcheur dans une maison de spécialités pharmaceutiques. Me débrouillant sur place, je décrochai enfin dans la même maison un poste en apparence moins reluisant, mais proche de la sinécure : la succession du veilleur de nuit. Il était temps. Des mois de privations et de surmenage me conduisaient tout doucement à la cachexie. J'étais si nettement handicapé que je n'eus pas besoin de demander un sursis d'incorporation pour terminer mes études : le conseil de révision m'ajourna.

Entre-temps, j'avais été reçu à mon examen de fin d'année : encore une fois, de justesse. La fille du cordonnier avait été liquidée ou m'avait liquidé : je ne sais plus très bien, cela n'a aucune importance. Je ne l'avais pas remplacée. Je n'avais pas non plus remplacé le portefeuille de Micou, qui s'usait aux coins et dont le cuir ne chantait plus sous la pression du doigt.

XVII

PRESQUE tous les jours après le déjeuner — ou ce qui m'en tenait lieu — je descendais au square Viviani, situé sous ma fenêtre. Si elle était libre, Paule m'accompagnait. Tandis que je repassais mon cours, elle se plongeait dans la lecture d'un de ces romans policiers dont tous les personnages se trouvent à la fin massacrés, répandus à terre, au nom d'une morale tardive et pour la plus grande gloire d'un détective amateur. Paule n'apportait jamais aucun ouvrage : elle appartenait à cette minorité féminine qui se vante de ne pas savoir coudre un bouton.

Presque tous les jours, à la même heure, un mélange d'oiseaux, de gosses, de jeunes filles attendant la réouverture des bureaux, s'abattaient sur les bancs et le vent ébouriffait leur plume ou leur indéfrisable, dénouait des écharpes, chantait la joie sur l'anche du rire et l'accordéon des jupes à plis.

Il embrouillait aussi la laine de l'inconnue. Celle-là, généralement solitaire ou flanquée d'une seule amie, arrivait à une heure pour repartir à deux heures moins le quart. Elle occupait toujours le même banc. Je l'avais remarquée, à la longue, bien qu'elle ne fût pas de celles que l'on remarque. Je ne veux pas dire qu'elle manquait de charme : elle était, au contraire, agréable à regarder. Mais elle semblait peu désireuse de vous être agréable de cette façon : elle n'avait pas cette jeunesse agressive, ce brio du geste, cette exubérance qui rajeunit les rues qu'elle traverse et jette une fête-Dieu de fraîcheur au nez des passants. Sa régularité, sa réserve dataient un peu, à première vue. En tout cas, elle appartenait à cette majorité de femmes toujours hérissées d'aiguilles en matière plastique, incapables de se déplacer sans ses pelotes qui semblent faire partie de leur anatomie au même titre que leurs seins. Depuis trois mois, cette fille calme tricotait du gris clair, consacrait des milliers de secondes à un chef-d'œuvre compliqué, interminable ; et Paule s'impatientait de sa patience, s'esclaffait en la voyant pousser, une par une, les perles de ce boulier minuscule qui sert à compter les diminutions. Pourtant l'inconnue me devenait sympathique. Micou, elle aussi, comptait ses mailles, la bouche entrouverte et un bout de langue retourné sur les dents.

Le 10 octobre — allez dire après cela que les

hommes ne se souviennent d'aucune date ! — le chef-d'œuvre interminable apparut, terminé, sur le dos de l'inconnue. C'était une robe de demi-saison entièrement faite au point de jersey et qui m'arracha un petit sifflement admiratif.

— Il faut avouer..., commença Paule.

Mais son regard, qui venait de prendre le mien en filature, lui fit sans doute un rapport inquiétant :

— Un chiffon, soupira-t-elle, et les hommes changent d'avis sur une femme !

Pour la première fois, j'observais l'inconnue avec attention. Je m'intéressais à ses yeux. Leurs prunelles auraient pu être plus larges, leurs paupières plus lisses. Mais ils étaient frais, frétillants : il s'agissait de ce que j'appelle les yeux-ablettes (un pensionnat en promenade vous en offrira tout un banc). Le regard n'y luisait que par instants, preste, vite abrité sous les cils, et le visage lui-même, trouvant encore insuffisante sa discrétion de teint et de modelé, s'entourait d'une buée de cheveux. Le reste, si l'on peut parler de reste quand il est question d'une jeune fille, baignait dans le flot gris de la robe, sauf les galets des coudes, des épaules et des genoux.

— Si tu veux que je m'en aille..., reprit Paule.

Sa présence me gênait, bien sûr. Si inconnue que vous soit une inconnue, il est embêtant de se faire voir en compagnie d'une autre dame. Je ne pouvais pas crier : « Vous savez, la personne qui est à ma gauche ne m'est à peu près rien ! » Je n'osais pas me rabattre sur ces craquements de

doigts, sur cette fausse toux qui sont la demi-
politesse de l'impatience. Mais mon silence suffit
à Paule qui, m'épargnant toute muflerie, glissa
son gant dans son livre pour marquer la page,
puis se leva doucement.

— A tout à l'heure !

Elle me donna de très haut, à bout de bras, une
poignée de main qui avait l'air de me repousser à
cent mètres de son intimité, s'éloigna sur de précieuses pointes de pied comme si elle prenait le
gravier pour des œufs de moineaux. Je ne lui en
sus aucun gré. Son sourire, trop complice, me
laissait le champ libre alors qu'il ne s'agissait
point d'une aventure facile. Il ne s'agissait même
d'aucune aventure : je n'en avais ni le temps ni
le goût. Je me méfiais des Micou comme des
Emma, et cette petite ne ferait pas une Madeleine...

Agacé par mes contradictions, je me levai à
mon tour et marchai vers le portillon, qui rebondit
trois fois derrière moi. Ce bruit de ferraille fit
sursauter une nurse à moitié endormie et un
retraité très absorbé par la lecture de *L'Intran*
où s'étalaient les suprêmes photographies du roi
Alexandre. Deux pigeons s'envolèrent, offrant au
soleil leur vol bleuâtre. Dans la rue, malgré moi,
je me retournai... Au bout d'un regard tendu vers
moi comme une ligne, luisait l'ablette. Mais elle
lâcha aussitôt l'hameçon et revint s'accrocher à
cet autre fil : la laine d'un nouveau tricot.

XVIII

Décembre mord les statues. De ma fenêtre, qui
surplombe Saint-Julien-le-Pauvre, je vois grelot-
ter les saules dans le square Viviani, où l'inconnue
ne vient certainement pas s'asseoir en ce moment.
A vrai dire, je ne puis contrôler : je viens de m'offrir une mauvaise bronchite et je garde la chambre depuis un mois, aux frais de ces Assurances
sociales, dont M. Rezeau prétendait jadis qu'elles
étaient fort inférieures aux anciennes Mutuelles,
libres autant que patronales. Elles ont du bon,
ces Assurances, qui me font vivre. Journal
déployé, je vais de titre en titre, approuvant des
revendications dont la vraie fatigue, la fringale et
l'onglée vous permettent seules d'apprécier le
caractère. Depuis quelque temps — et sous cet
angle, qui me paraît encore un peu mesquin —, je
m'intéresse au Front populaire en formation. J'ai

même pris ma carte syndicale : cette carte de
visite du pauvre. Je commence à rire d'un certain
Brasse-Bouillon, qui lisait par bravade les feuilles
de gauche, pour embêter sa famille. Bien sûr, je
ne suis ni ne serai jamais tout à fait dans le coup.
Un certain ton, une certaine épaisseur d'adjectifs,
un certain « chante-faim » de propagande agacent
en moi ce militant qui se croit assez fort pour
vaincre seul sa propre injustice. Nous en rabat-
trons encore...

— Je t'apporte une tasse de bouillon, murmure
Paule, qui vient d'entrer.

Celle-là... Pourquoi donc a-t-elle trente-six ans,
ces paupières fripées, cette bobine de fil blanc
dispersé dans les cheveux, ce ventre qui doit tout
à sa gaine et ces seins que ma paume sait creux,
vides, mous comme un zeste ? Toutes ses couvertures sont jetées sur mon lit et je sais que, ce
soir, pour ne pas me les reprendre, pour ne pas
me proposer de coucher avec moi, en frère et
sœur, pour ne pas même attirer l'attention en
réclamant un couvre-pied supplémentaire, elle
se glissera toute habillée sous un tas de vieux
manteaux. En fait de sentiments, je ne suis pas
grand clerc, mais je vois bien qu'en six mois sa
fameuse indifférence s'est effilochée et que sa
désinvolture se fêle, comme la tasse qu'elle pose
devant moi.

— Bois donc, pendant que c'est chaud.

J'aime ces attentions qui ne s'encombrent pas
de mots, ni d'attitudes. S'apercevant que si la
tasse fume, notre haleine lui fait concurrence,

Paule allume un chétif poêle de camping qui pue l'essence. Puis elle retape mon lit, brosse ma veste, range sommairement mes livres.

— Au moins, reprend-elle pour meubler le silence, tu auras pu prendre de l'avance en un mois.

Cette bronchite est presque une chance, en effet. On n'a pas idée de ces chances-là, du côté de *La Belle Angerie* ! J'ai décidé de me débarrasser cette année de ma licence en préparant les deux certificats qui me manquent encore. Jusqu'en avril, je ferai des économies afin de me consacrer uniquement à mes études pendant le dernier trimestre. Comme je me dispose à réaffirmer ces nobles intentions, une bonne quinte de toux les disperse. Paule fronce les sourcils, me tape dans le dos, puis décrète :

— Au lit, monsieur ! Je vais chercher les ventouses et le thermomètre.

Mais ce programme sera bousculé. Tandis que je me couche, un coup de poing ébranle ma porte, derrière laquelle piétinent au moins quatre souliers.

Il s'agit d'une invasion. Un premier militaire entre, solennel, précédé par une paire de gants blancs. Son manteau ressemble à une reliure austère et la double raie rouge du pantalon à de riches signets. A son flanc oscille la miroitante épée par quoi les « armes savantes » expriment leur nostalgie des armes blanches. Haut perché, règne le bicorne, qui hésite à s'affirmer couvre-chef de diplomate, d'académicien ou de gendarme endimanché. Mais les lunettes, cercles tangents, proclament que ce bicorne est bien celui de l'X et, plus précisément, celui de Marcel, nouveau poly-technicien, qui salue de l'index et trouve le mot qui convient à la situation :

— Bonjour !

Un second militaire, dont la présence ne semble pas honorer le premier et qui s'avance derrière lui avec la toute petite allure d'une ordonnance, montre alors son col bleu délavé, son pompon rouge. Son nez tordu renifle la puanteur amicale de l'essence et claironne :

— On passait par là, ma vieille !

Les voilà plantés sur mon carreau, dont le vernis s'écaille. Le matelot dévisage Paule, telle une fille de port. Quant à mon presque-officier, il la regarde comme un péché mortel. Ses gants, couleur de conscience parfaite, lui alourdissent sans doute la main qu'il ne tend pas. Paule sourit de toutes ses dents, marmonne une formule et sort, faussement humble, brandissant une tasse dans le plus pur style soubrette. Le bicorne s'abaisse un peu, pour approuver. En une seconde, l'atmos-phère Rezeau vient de m'être restituée.

— Ça ne va pas trop mal ? s'enquiert le poly-technicien, compatissant.

— Je suis en perme, explique Fred. J'ai d'abord été voir Marcel. Il a voulu m'accompagner chez toi... C'est plutôt moche... Comment te débrouil-les-tu ? Je ne t'ai jamais vu si maigre.

Il est gras, lui, bien nourri par l'Intendance.
Marcel a la santé plus discrète.

Ma première réplique leur inspirera le respect
qui m'est dû.

— J'achève ma licence, mon petit père. Comme
je n'ai pas de rentes, il faut bien que je travaille
en même temps.

Marcel ne semble pas du tout impressionné.

— Tu n'avais pas besoin, insinue-t-il, de te créer
ces difficultés. D'ailleurs, tu m'étonnes : on
m'avait assuré que tu avais raté tes examens.

« On » doit avoir les cheveux secs, le menton en
galoche et le prénom de ma voisine. Ma voix
devient coupante :

— Renseigne-toi en Sorbonne, c'est plus sûr...
Elle ne t'a pas dit non plus que je ramassais des
croûtes dans les poubelles ?

Marcel se réfugie dans le rire. Ses gloussements,
qui déplacent le bicorne, sont pleins d'indulgence.
Pardonnons quelques inexactitudes à une pauvre
femme nerveuse bien maltraitée par sa progéniture. Mais le pompon de Fred se penche de mon
côté.

— Ma foi, avoue-t-il, elle m'a raconté avant-
hier que tu avais échappé de justesse à une affaire
de mœurs, l'année dernière, que tu étais réformé
pour tuberculose, que tu vivais actuellement aux
crochets d'une...

Paule, qui entre sur deux silencieuses pantoufles, reçoit le mot en pleine figure. Elle ne bronche
pas, pose sur la table une boîte de ventouses, un
flacon d'alcool, du coton hydrophile.

— La putain, c'est moi ! fait-elle, suave, en secouant le thermomètre. Asseyez-vous donc, messieurs !

L'ange qui passe a de très longues ailes et le réveil, piqué de rouille, que j'ai acheté à Saint-Ouen, grignote de bien gênantes secondes. Enfin, Paule, qui a l'air de s'amuser beaucoup, me met décemment le thermomètre sous la langue et fait face au bicorne.

— Vous devriez dire à Madame *votre* mère..., commence-t-elle, en détachant le possessif.

Puis elle se ravise :

— Non, ne lui dites rien. Elle est très renseignée. Elle ne se console pas de voir que votre frère a déçu ses espérances. La calomnie, c'est la dernière ressource de l'impuissance.

Fred, qui entend se faire pardonner sa gaffe, fait aussitôt chorus :

— Elle a en effet grande envie d'être désolée. Elle m'a jeté gentiment avant-hier : « Quand tu seras démobilisé, tu pourras toujours imiter ton valet de chambre de frère. » Mais, cinq minutes plus tard, elle quittait le ton persifleur pour dire à Papa, qui souhaitait que tu t'en sortes : « S'il réussit, nous le paierons cher. »

— N'exagérons rien, fait Marcel, posément.

Son manteau et son air sérieux l'enveloppent, le cuirassent. Il n'est pourtant pas à son aise : cette façon de tirer sur ses gants, du bout des dents, est caractéristique. Je ne sais s'il est venu en qualité de plénipotentiaire ou d'agent de ren-

seignements, ou pour montrer son uniforme, ou
pour éviter une alliance entre Fred et moi, ou
seulement par curiosité. Je ne suppose pas un
instant que ce soit par sympathie. En tout cas,
je vois bien qu'il regrette sa visite, qu'il a envie de
s'en aller.

Tandis que Paule me retire le thermomètre et
louche sur mes 38°2, Fred, maintenant, s'explique,
se répète, accumule les digressions, fait de l'esprit.
Son cuirassé, le *Poincaré*, est à Cherbourg. Il a
obtenu huit jours. Il vient d'en passer deux à *La
Belle Angerie*, par faveur spéciale, malgré la
grippe dont souffre notre mère. Il est vrai qu'elle
lui a déconseillé de rester plus longtemps.

— Toute sucrée, la vieille ! « Je suis enchantée
que tu sois enfin venu faire amende honorable,
mais nous ne sommes pas en état de te recevoir... »
Elle tirait son mouchoir toutes les cinq minutes
pour me le prouver. Un mouchoir d'un sale ! Elle
devient avare : il n'y a même plus de bonne à la
maison... Quant à Papa, il est exact qu'il est
menacé d'urémie... L'embêtant, c'est que je suis
sans un sou. La France est notre mère ; malheureusement, l'Etat est son mari et l'Etat est aussi
radin que M. Rezeau. Je rentre à Cherbourg en
faisant un crochet par Paris : j'espérais que
les grands-parents feraient un geste. Va te faire
fiche ! Il n'y a que Marcel qui soit arrivé à les civiliser.

— Oh ! fait celui-ci, de plus en plus grave, j'y
vais une fois par mois.

Il se lève, considère avec amitié sa montre d'or

(prime pour son admission à l'X, sans doute), puis considère Fred avec inquiétude.

— Je suis invité chez le marquis de Lindigné... Tu ne peux pas t'y présenter dans cette tenue et Jean ne doit pas avoir de complet décent à te prêter. Je préfère te laisser ici. Si cent balles peuvent t'arranger...

Mais je préviens le geste du gant blanc qui glisse déjà vers le portefeuille. L'occasion est trop belle pour que ma « générosité » ne saute pas dessus.

— Une bronchite n'est pas contagieuse. Fred peut fort bien coucher avec moi. Il n'a qu'à terminer sa permission ici.

Je ne sais pas trop comment je le nourrirai et je me reproche déjà de compter un peu trop sur Paule, dont le sourire m'approuve. Marcel, à peine confus, jouant au frère bien content, tire du creux de sa poitrine un « Bonne idée ! » que suit très vite cet « Allons, au revoir ! » digne de son laconisme habituel. Il me donne un doigt à serrer, vérifie son harnachement et se retourne. Un instant, j'espère que son épée va s'engager dans les barreaux d'une chaise. Mais Marcel est trop calme, trop attentif pour se laisser ridiculiser par les petites choses. Sa rapière n'effleurera même pas le chambranle et ne sonnera pas une seule fois sur les marches de l'escalier.

Malgré le poêle, l'air est devenu respirable. Paule et moi affectons un air goguenard, auquel Fred s'associe, dès que s'éteint la plainte cossue des souliers de Marcel.

— Evidemment, maugrée-t-il, je ne le vois pas
s'incliner devant Mme de Lindigné en présentant :
« Mon frère, le mataf ! »... Mais pourquoi l'as-tu
empêché de me donner cent balles ? C'était toujours ça de récupéré. On l'engraisse sur notre dos,
après tout.

Sans comprendre le sens de notre moue, Fred
s'installe, allonge les jambes et parle, parle, parle...
Ses traits, ses coq-à-l'âne, ses ragots, ses petites
rages font apparaître chez lui un côté Pluvignec
que je ne soupçonnais pas. S'il tient bien de notre
père son grand nez, sa mollesse et cette fausse
intelligence qui papillonne à la surface des choses
(et se croit lumineuse, parce qu'elle est Rezeau),
c'est de notre mère qu'il tient — à l'état mineur —
cet égoïsme (superbe chez elle, mendiant chez lui),
ce goût du soupçon, cette hargne (agressive chez
elle, désolée chez lui), ce mépris envers un monde
qui ne le hisse pas sur le socle auquel ont droit
ses 44. A la façon, pourtant complaisante, dont il
raconte ses bordées, on croirait qu'un sort cruel
l'a réduit à sauver l'honneur des pouffiasses. Son
mépris des ficelles pue le regret de n'en point
porter. Il ne crie même pas, il crachote. Il ne nie
rien, il ne refuse rien, il fait du scepticisme comme
on fait de la septicémie. Simple décomposition du
sang : de son sang bleu.

Parasite, avec ça ! Pendant six jours, il nous
encombrera délicatement. Ses façons de lever le
coude et de manier la louche sont de celles qui
vous incitent à n'avoir ni faim ni soif. Il est vrai
que, dès le lendemain, ma chère lui paraîtra si

maigre qu'il se découvrira des obligations et organisera la chasse aux invitations parmi tous les amis ou les membres parisiens de la famille encore sensibles au prestige de son droit d'aînesse. N'oubliant pas d'ailleurs la parabole du plat de lentilles, il se souviendra de la proposition de Marcel et ira le taper jusqu'à Polytechnique. Il n'hésitera même pas à risquer des commentaires qui me seront, plus tard, répétés : « Ce n'est pas une raison, dira-t-il, parce que Jean est dans une dèche noire, pour m'inviter noblement à bouffer des patates bouillies. » Jusqu'à son départ, je ne le verrai en fin de compte que la nuit et il rentrera de préférence vers deux heures du matin, quelquefois ivre et réveillant tout l'hôtel au bruit de ses godillots. Mais Paule restera souriante :

— Ne ronchonne donc pas. On ne fait pas les choses à moitié.

Il est vrai que, pour la remercier, Fred me confiera, en jetant son sac sur le dos :

— Bonne fille, ta Paule ! Mais tu pourrais tout de même les choisir un peu moins mûres.

XIX

Les derniers kilomètres — comme les premiers —
sont les plus longs. Au départ, le but est trop
éloigné. A l'arrivée, l'appréhension nous freine.
En se rapprochant du but, on se rend compte qu'il
n'est pas même une étape, mais une simple borne,
devant laquelle la vie doit défiler, sans s'arrêter.
Ce n'est pas dans le domaine de l'espace, c'est
dans celui du temps que sévit le plus clairement
la loi d'inertie. « Soledot, trois kilomètres », ou
« licence dans trois mois »... Où irons-nous
ensuite ?

Je n'en savais rien. J'avais dû me tirer de mon
lit pour repasser devant le conseil de révision qui
m'avait cette fois définitivement exempté (on feint
d'être satisfait, mais on est toujours un peu vexé
de cette faveur). Je n'aurais donc pas à faire mon
service, et la question se posait : en profiterais-je
pour pousser jusqu'au doctorat ?

— J'ai l'impression, disait Paule, que tu n'es pas de ceux qui relient leur vie dans les peaux d'ânes. Je te connais bien maintenant : tu ne cherches qu'à humilier ou à épater ta famille. Valet de chambre, homme-sandwich, laveur de carreaux, tu espérais les abaisser en ta personne et tu te décernais au surplus un brevet de courage. Tu confonds le courage avec le jusqu'au-boutisme. D'ailleurs, tu penses aussi que tu remonteras à leur hauteur, que tu les surclasseras par tes propres moyens. Tu ne vis pas pour toi, tu vis contre eux. Tu ne te rends pas compte qu'ils s'en moquent. Ils savent très bien qu'un diplôme ne te conférera aucun droit au bénéfice des autres chances sociales que tu as perdues. Il va falloir te caser, sans relations, en pleine crise, et peut-être, sous un tir de barrage. C'est à ce tournant-là qu'ils t'attendent.

Depuis la visite de mes frères, Paule avait changé de ton, comme si elle s'était brusquement rendu compte d'un problème et en cherchait la solution. Ce ton, je ne l'aimais guère. Toute expérience est incommunicable et nous suspectons plus vivement les expériences manquées. Je sais aujourd'hui que Paule s'était réussie en ratant sa vie, mais nos disputes m'apparaissaient alors identiques à celle de la poêle et du chaudron. Je tolérais ses conseils comme ceux d'un mauvais prêtre, et je les tolérais uniquement parce que j'avais de l'affection pour elle ou, plus exactement, de l'affection pour son affection. Que craignait-elle donc ? Tout allait mieux. Je n'avais pas repris mon travail, mais je

m'étais fait prendre en charge par les Assurances
sociales : une radio suspecte les avait décidées à
m'accorder un congé de longue maladie, puis un
congé d'invalidité. J'étais néanmoins parvenu à
éviter le sanatorium et je pouvais ainsi assister
aux cours, terminer ma licence en toute tranquillité. Ma famille elle-même semblait en rabattre : le
gérant ne recevait plus de visites. Depuis le mois
d'avril, j'étais majeur. Marcel, devenu mon voisin
depuis son entrée à Polytechnique, n'était pas
revenu chez moi ; quand, par hasard, je le ren-
contrais dans la rue, il évitait soigneusement de
me fuir, se contentait de hausser les épaules en
parlant de Fred « toujours matelot et pas même
foutu de faire un quartier-maître », poussait la
condescendance jusqu'à me donner des nouvelles
de notre mère « décidément très fatiguée » et de
M. Rezeau « dont les reins fonctionnaient de plus
en plus mal ». Enfin le printemps ramenait au
square Viviani les crocus perceurs de gazon, les
enfants perceurs de tympans, les retraités et
l'inconnue... L'inconnue, dont je savais le prénom
depuis qu'une autre jeune fille l'avait interpellée
devant moi :

— Tu oublies l'heure, Monique !

Prénom convenable pour qui connaît le grec et
confère à l'amour l'attribut essentiel du Seigneur :
l'unicité. Les choses en étaient là. Je ne suis pas
timide ni enclin à jouer les romantiques sous le
pleurnichement mauve des glycines, mais j'aime
jouer au chat et à la souris avant même d'avoir
pris la souris. Cela fait partie des jeux de mon

enfance à retardement. « Tiens, voilà Micou II ! »,
raillait Paule en allongeant le bras par la fenêtre.
Au bord de l'indignation, j'en rigolais comme
d'une bonne blague. Mais Paule reprenait avec un
drôle de soupir : « Descends donc, tu en meurs
d'envie. Tu as peur de l'abîmer ? Il n'y a pires
sentimentaux, décidément, que les petites bru-
tes de ton espèce. » Un samedi, alors qu'écla-
taient dans le jardin trois cents cœurs de tulipes, je finis par lui jeter : « Tu paries que j'y
vais ? » — « Chiche ! » cria-t-elle avec une sorte
de passion.

Quand j'arrivai au square, il n'y avait plus
personne sur le banc. Paule survint très vite et
s'assit dans le coin réservé.

— Excuse-moi, fit-elle, si je prends sa place
encore chaude. Il faut que je te dise... J'aurais dû...
Enfin, cette petite ou une autre, là n'est pas la
question. L'important...

Elle bafouillait, secouait à tous les vents ses
cheveux qui avaient été noirs. Essoufflée, lamen-
table, sa voix se frayait un chemin à travers mes
pudeurs, que je croyais mieux défendues.

— L'important, reprenait-elle, c'est que tu
gagnes. Or tu n'as pas gagné. Ceux qui ont raté
leur femme se dédommagent en pensant à leur
mère, et ils sont légion ! Mais ceux qui ont raté
leur mère sont rares et ceux-là ne peuvent pas
rater leur femme. L'amour... Je t'en prie, ne souris
pas ! Si l'amour est une invention des femmes, ce
sont les hommes qui exploitent le brevet !

L'amour, tu en as plus besoin que tout autre... Je
sais ce que tu penses, mon petit Rezeau, toi qui
n'aimes pas être jugé et qui juges si vite les autres.
Tu penses que j'ai gâché ma vie et plus précisément ce dont je parle. Tu penses que je devrais
balayer devant ma porte... Ne fais pas attention à
ce que je t'ai crié tout à l'heure. Il est possible que
je sois vaguement jalouse : je ne suis pas une
sainte, moi ! Mais j'ai l'habitude de perdre et, en
ce qui te concerne, je voudrais perdre en beauté.
Ton bonheur... Encore un sourire de trop, mon
bonhomme. Crois-moi sur parole. Des bonheurs,
j'en ai gâché quatre ou cinq... Enfin je croyais ce
mot-là réservé aux midinettes. A le bramer dans les
courriers du cœur, on l'a dévalorisé. Pourtant, le
bonheur, comme c'est méritoire ! Il est si bête, si
facile, si commun d'être malheureux ! Vouloir
l'être ou seulement l'accepter, c'est ne rien vouloir.

La finaude ! On dit que les femmes ne pensent
à rien ou qu'elles pensent à autre chose. Celle-là
pensait à tout. Voilà qu'elle me prenait de biais.
Je ne pus m'empêcher de sourire.

— Zut ! fit-elle, comment te manœuvrer si tu
t'en aperçois ? Tous les fils sont trop blancs pour
toi. Pourtant, tu fais bien partie des gens qu'il
faut prendre par leur faible pour se servir de leur
force.

Sa main, soudain, s'appuya sur mon épaule.

— ... parce que tu es né fort, il faut le reconnaître. Mais tu ne te sers pas de ta force : tu la
sers. Tu combats au lieu de militer. Tes positions

sont presque toutes des oppositions. Je dis : presque, car tu t'améliores depuis un an... Mais je me demande si, par exemple, tu ne considères pas l'amour comme une simple contrepartie de la haine. Dans ce cas, tu serais encore le fils de ta mère.

— Toujours le fil blanc. Tu récidives !

— Ose dire que ce n'est pas là ton problème ?

Irritante pénétration ! L'argument était bien celui que je m'opposais chaque fois que j'avais envie d'abîmer une Emma, une inconnue, une idée généreuse. Toute la question était là, en effet : avais-je reconquis « la seigneurie de moi-même » ? Si mon orgueil était monté plus haut, ne s'agissait-il pas toujours de ma précieuse personne, de mon précieux bonheur, de ma précieuse force ? *Avancer, vipère au poing, en effarouchant mon public...* Bah ! il n'est pas un être qui ne soit avant tout son propre public ! N'était-ce point moi qu'il s'agissait d'effaroucher ? Tout deuil craint sa fin et songe avec terreur au jour où succombera sa peine. Ainsi la haine craint par-dessus tout de se délivrer de soi, elle se remord la queue... Une vipère, plus que toute autre bête, a l'instinct de conservation. Où grouillait-elle encore ?

— Moi, reprenait Paule d'une toute petite voix, j'ai d'abord éprouvé envers l'amour de l'ironie, puis de la crainte, puis une sorte de honte. Bien plus tard sont venus l'étonnement et la honte d'avoir honte, enfin l'attente qui conduit à cette chaleur inemployée...

— Tu mens, Paule ! C'est de moi que tu parles.

— Bien sûr !

Levée d'un bond, elle pouvait maintenant abandonner la place chaude. Rayonnante et les cheveux
dans le vent comme une torche, elle pouvait me
crier :

— Cette fois, tu ne l'as pas vu, mon fil ! Ça t'est
sorti du ventre, sale gamin ! Tu vas gagner !

Puis son enthousiasme tomba d'un seul coup.
Elle se voûta, s'accrocha, se suspendit à mon bras,
murmurant avec difficulté :

— Je t'aurai aidé... un peu.

A une lettre près, le verbe était exact, je le
savais.

XX

Et voilà, nous étions licenciés. Nous, c'est-à-dire quelques milliers d'autres étudiants et moi-même, perdu parmi ces milliers. J'avais peut-être eu plus de mal qu'eux, mais le résultat était le même : assez négligeable. Cette licence, âprement pour-suivie, je me demandais à quoi elle pourrait bien me servir. Elle restait insuffisante pour le profes-sorat qui nécessite l'agrégation et qui, au surplus, ne me souriait guère. Le titre n'était même pas assez important pour figurer sur ma carte de visite. Certes, il faut être maintenant au moins licencié pour être pris au sérieux : le préjugé du diplôme a remplacé celui de la naissance depuis un quart de siècle. Mais à quoi rime un parchemin que tout le monde possède et qui ne facilite rien, sauf des prétentions ? Depuis que je pouvais ajou-

ter la mention « licencié ès lettres » sur les fiches
des bureaux de placement, les employés n'osaient
plus m'envoyer n'importe où, comme un bon bougre. Ils suçaient leur stylo, avec embarras, ajou-
taient mon nom au bas de listes interminables,
me laissaient entendre que, si j'avais des connaissances, je n'avais toujours pas d'aptitudes spéciales. « Mieux vaut sortir d'une école technique ! » m'avouait l'un d'eux avec une respectueuse
franchise. Chaque matin, nous étions au moins
cinquante à nous aligner sur les banquettes, bien
chapeautés, bien ficelés, raides comme des pots
de confitures. J'avais l'impression d'être aussi
superflu qu'un dessert.

Comme il fallait vivre, je vendais l'*Encyclopédie
autodidactique* pour le compte d'une maison
d'édition spécialisée dans l'emploi de mes semblables : elle cherchait en effet des courtiers ayant
une présentation « distinguée », de l'éloquence,
quelques lumières et des crampes d'estomac assez
fortes pour les décider à se contenter de petits
pourcentages. J'avais bien réussi à décrocher
aussi une mince rubrique dans un hebdomadaire,
mais à titre bénévole. Evidemment, si j'avais
bénéficié d'appuis sérieux, j'aurais pu me caser,
malgré la crise. Il n'en était pas question. Je
n'avais point de relations et, si j'en avais eu, je ne
m'en serais pas servi. Se laisser choisir pour des
motifs extérieurs à soi, quelle humiliation ! Quelle
facilité, bien digne des fiertés bourgeoises, toutes
basées sur la faveur ! Il n'est pas désagréable
d'entendre murmurer derrière son dos : « Ce gar-

çon a un certain bagage. » Mais je trouve horripilante la phrase qui suit le plus souvent cette appréciation : « Et puis, c'est le neveu d'Un Tel. » Odieux additif ! Valise qui contient le bagage ! Mieux valait laisser le mien en consigne provisoirement, et m'avancer dans la vie les mains vides.

Et voilà, nous étions amoureux. Nous, c'est-à-dire quelques milliers d'autres jeunes gens et moi-même, perdu parmi ces milliers, encore une fois. Ma gloriole, en la qualifiant d'élue, avait accepté la candidate du hasard. J'avais enfin abordé Monique, le plus bêtement du monde : ni sur le banc, ni même dans le square, sans utiliser quelque tango de quatorze juillet, sans l'avoir bousculée intentionnellement pour l'accrocher par des excuses, sans lui avoir demandé l'heure ou la rue, sans aucune des ficelles qu'admet l'art du suivez-moi-jeune-homme. Comme ça, bêtement, je le répète, à sept heures du soir, au guichet du métro Saint-Michel, grâce à l'involontaire obligeance d'un ancien camarade. Ces fameux « tournants » de la vie sont généralement de très petits virages, et l'essentiel sort de l'anodin avec une régularité qui devrait nous donner à réfléchir. Je n'aimais pas ce garçon, peigne-cul du genre troubadour, dont j'ai oublié le nom et qui faisait une grande consommation de demi-vierges. Je me souviens avec désagrément de ses yeux verts, globuleux, hérissés, plus tenaces que ces « gratterons » de la bardane qui s'attachent aux jupes des villageoises. Son teint de nougat, ses mains flasques, sa postillonnante désinvolture offensaient, ce jour-là, la confiance de trois jouvencelles en robes claires. Je passais, sans m'arrêter, quand il m'interpella :

— Rezeau !

En me retournant, je reconnus la petite. Le plongeon de la sardine... Je veux dire : la gêne qu'exprimait son regard me consola de sa présence.

— Tu dois connaître Marie, faisait l'autre, avec une insinuante rondeur. Tu connais Marie : elle vient d'achever son droit... Mais je ne crois pas, continua-t-il négligemment, que tu connaisses ses amies, Gaby et Monique.

— Gabrielle, rectifia l'intéressée.

— Monique Arbin, précisa l'abonnée du banc avec une sécheresse qui me remplit de satisfaction et en faisant sonner son patronyme comme un bouclier.

L'éphèbe au teint de nougat eut un sourire indulgent. Marie retira son gant droit, tandis que les jeunes filles tripotaient leur billet. De toute évidence, il n'y avait rien entre eux qui pût ressembler à de l'intimité. Ils étaient là, réunis par la bonhomie provisoire qui peut régner entre voyageurs dans un même compartiment de chemin de fer. « Enchaîne, mon petit bonhomme, enchaîne donc ! » me répétais-je désespérément. Les ampoules faisaient brasiller les parcelles de mica à fleur des marches ; mille reflets couraient le long des voûtes blanches. Je dis, stupidement :

— Vous n'avez pas votre robe de tricot, aujour-d'hui ?

Etait-ce stupide ? Cette allusion insolite, cette allusion à un détail précis l'avertissait mieux que toute périphrase. Les paupières de Monique se relevèrent très haut, restèrent une seconde accro-chées aux sourcils, découvrant le blanc de l'œil où clignotait l'étonnement d'une prunelle gris souris. Puis elles se rabattirent d'un seul coup sur sa joue, sur sa joie, sur un jeu de sourire. Elles se rabat-tirent comme une voilette trop courte, et sa main monta vers son visage pour cacher le reste, tandis qu'elle répliquait à tout hasard :

— Ce qu'il m'a fallu de patience !

— Vous vous connaissez donc ? grogna mon camarade.

Mais, sans répondre, Monique s'éloignait déjà, entraînant Gabrielle et jetant par-dessus son épaule : « Excusez-nous, il faut que nous soyons rentrées pour la demie. » En dix secondes, elles eurent dévalé l'escalier, vives, discrètes, résumées par cette souplesse des chevilles jointe à cette rigidité des hanches qui signalent la jeune fille aux yeux avertis.

— Vous la connaissez ? insista Marie.

Comme j'esquissais un geste vague, elle conti-nua, condescendante :

— Ce n'est pas précisément une amie. Elle est secrétaire dans une étude du boulevard Saint-Germain, où je suis moi-même stagiaire. Je crois qu'elle loge dans une pension religieuse.

Puis, sur le ton gras, en copine avertie :

— Ne vous attardez pas de ce côté-là. Vous perdriez votre temps. C'est le genre de jupe qui se prend pour un drapeau.

— Si vous saviez comme je m'en fous ! fis-je brièvement.

Je m'en fichais si royalement que je dévalai à mon tour l'escalier, en demandant l'impossible à mes rotules (car les hommes, eux, n'ont qu'une souplesse de rotules). Pile ou face, porte d'Orléans ou porte de Clignancourt. J'optai pour Clignancourt. Je franchis en trombe le portillon, juste à temps pour sauter dans la rame qui emportait Monique.

XXI

POLITESSE, méfiance jolie, habileté verbale. Puis
discussion prudente sur les goûts et les couleurs
et, par ce biais, échange de renseignements généraux, de quarts de confidences. Nos yeux, nos
mains, nos pieds se sont frôlés, se sont écartés ;
une civilisation très habillée, très pointilleuse et
au fond très prude nous dose les gestes, les mots
et même les silences. Depuis quinze jours, j'ai dû
subir la liste des réticences habituelles : « Ne
m'accompagnez pas jusqu'à la porte. » « Ne
m'attendez pas demain. » « Je préfère que vous ne
me donniez pas le bras... » Ces réticences, pourtant, représentent déjà une progression vers le
premier rendez-vous, pour le samedi suivant,
selon l'usage. Il va de soi que ce premier rendez-
vous, toujours selon l'usage, m'est offert en un
lieu très public, sous la sauvegarde de l'éternelle

amie. Bref, il s'agit d'une prise de contact très démultipliée, on ne peut plus prudente, on ne peut plus classique.

Et voilà bien ce qui m'embarrasse... La chose la plus difficile à vivre, c'est le banal, surtout quand il est tendre. La « petite » émotion m'humilie. Ce qui m'enchante m'agace ou, tout au moins, déclenche chez moi le respect humain dont souffre cette génération affolée à l'idée qu'on pourrait un instant la croire sentimentale et persuadée que les sourires sont plus pénibles que les coups.

Affrontons néanmoins le ridicule. Cinéma, tango ou canotage : Monique m'a laissé le choix, en marquant une légère préférence pour le plein air. J'ai donc opté pour la Marne : il n'est pas déplaisant de poursuivre son enquête en face d'un costume de bain. Pour ne pas déroger à l'esprit inventif des dix mille couples qui· se retrouvent ainsi tous les samedis, nous avons choisi comme point de ralliement l'horloge de la station Alésia. Monique se contente de cinq minutes de retard. Je suis là depuis une demi-heure, et j'ai bien retouché dix fois mon·nœud de cravate. Dès que je l'aperçois, je recule jusqu'au fond de·la galerie pour lui laisser croire que j'arrive en même temps qu'elle et l'examiner à loisir. Dieu merci, elle ne s'est encombrée ni de parapluie, ni d'écharpe, ni de gants, ni d'aucun attirail. Un simple sac de toile pend au bout de son doigt. Sa robe de plage à quatre poches et gros boutons, trop repassée à mon goût, donne envie de crier : Publicité ! Blancheur Persil ! Ses cheveux donnent toujours

l'impression d'être sortis de son vaporisateur.
Bras et jambes, bien nus, bien lisses, meublent
l'air avec franchise. Première satisfaction : on la
regarde. Seconde satisfaction : elle ne voit personne. Troisième satisfaction : son sourire, venu
de très loin, lui suffit pour me dire bonjour. Je
l'ai remarqué depuis une semaine, mais cette
vertu, si rare chez une femme, continue à m'étonner : Monique ne parle presque pas. Voilà qui
la sauve déjà de la comparaison : quatrième
satisfaction.

— On prend le métro jusqu'à Charenton, puis
le 81 jusqu'à Saint-Maurice ?

— *D'ac*, fait-elle.

— Votre amie n'est pas venue avec vous ?

Monique ouvre la bouche, en laisse sortir un
bout de langue qui frétille contre ses dents, puis
le ravale en même temps que toute explication.
Des yeux, réduits par les paupières à une mince
raie grise, jaillit une petite lueur insolente. Tandis
que je l'entraîne, la main crispée sur la fraîcheur
de son bras, tandis qu'elle sort de sa pochette
son ticket d'aller et retour, elle consent enfin à
riposter, du coin de la lèvre :

— Vous le regrettez ?

Une heure plus tard, nous sommes sur la
Marne, offrant au soleil le maximum de peau.
Monique n'a eu qu'à déboutonner sa robe de
plage, dans le canot même, pour apparaître en
maillot. Décidément, cette petite ne fait pas de
fausses notes. Pour les femmes, il faut savoir

passer très vite, sans déshabillage apparent, à l'état de statue.

Toute grâce s'effondre, quand vous les voyez dépouiller une lingerie compliquée ; une pudeur trop longue devient de l'impudeur, même si le deux-pièces est déjà en place. Et ne parlons pas des imprudentes qui n'ont pas pris cette précaution et qui, en l'absence de cabines, sont obligées de recourir aux pires contorsions, aux plus navrants camouflages pour retirer subrepticement leur cache-sexe.

Je n'aime pas ramer. Sur l'Ommée, trop étroite, nous n'avancions qu'à la godille ou à la perche. Le rameur ne voit pas où il va. Le godilleur peut faire face : vieille nécessité des marais chouans. Mes rames, qui se moquent de toute poésie, frappent lamentablement les flots harmonieux, du reste surpeuplés d'autres inexpériences et largement irisés de gaz-oil. Aspergée en cadence, Monique rit. Elle fredonne aussi : cette silencieuse, qui n'a pas lâché trois phrases, meuble son silence comme les oiseaux. Assise à l'autre bout de la barque, le corps de face et le visage de profil, les jambes serrées, les mains pendantes, elle ne bouge pas.

— Monique, vous avez froid ?

Le profil fait un quart de tour, oscille un peu de droite à gauche pour dire non, puis reprend sa pose de médaille. Le décolleté foncé des baigneuses, ce triangle de peau roussie qui prolonge celle du cou, attire mes yeux. Car en dessous remuent les seins, peu pointus, très ronds, écartés. Entre le soutien-gorge et la culotte, s'étend cette brève zone de chair nue, boursouflée par les élastiques. Plus bas, le ventre est bien plat, mais la hanche un peu lourde, ainsi que la cuisse.

— Monique, vous ne me regardez pas ?

— C'est que, vous, vous me regardez trop.

Les yeux gris reviennent vers moi, précisent le reproche. Elle a raison : je ne m'occupe que d'elle et pourtant je ne m'occupe pas d'elle. Je m'occupe de son double, de ce qui me plaît ou de ce qui me déplaît en ce double, je ne m'occupe que de moi. Désastreuse habitude ! Paule disait, ce matin : « Toi, mon bonhomme, fais gaffe à l'amour de tête. Tu fais partie de ces bons petits égoïstes qui s'isolent à deux : *Fiche-moi la paix, mignonne, et laisse-moi rêver de toi.* » Ma jeunesse est toujours là, menaçante, où j'ai appris à vivre *avec*, mais pas à vivre *ensemble*. Méfions-nous du chouan. Et méfions-nous aussi du trouble qui l'envahit. *Amour de tête, tête à queue, queue leu leu*, disait l'humoriste qui ajoutait : « *En fait de femme, possession vaut titre. Que ton souvenir soit un garde-meubles !...* » Mais quel est ce soliloque dont les yeux gris s'étonnent encore ? Fichu petit bourgeois ! Saliveur en dedans ! L'amour, je ne le vis pas, je le déclame. Monique, donne-moi ta simplicité.

— Jean ! Vous n'allez pas vous laisser remonter par la grosse dame ?

Je me réveille. Je suis sur la Marne, je l'avais oublié. Je suis dans un canot, en slip, avec une fille fraîche à qui je suis seulement sympathique et qui ne coupe pas les cheveux en quatre, avec une fille qui met toute la semaine le nez dans les Dalloz et entend profiter de son samedi. J'aperçois la grosse dame, qui remplit tout son canot d'acajou verni et qui pagaye avec fureur pour se faire maigrir.

— Prenez une rame, Monique.

Monique bondit à mes côtés, pose sa petite fesse chaude contre la mienne, saisit un aviron. Mais nous ne ramons pas en mesure, les tolets grincent en vain, nous n'avançons guère. « Une, deux », fait lentement la jeune fille. Voici enfin la cadence. « Une, deux », reprend-elle plus vite. Cette fois, l'avant du bateau se soulève et l'eau bruisse comme du linge froissé. Dites-moi pourquoi je suis content ? Ce rythme commun, sans doute, en préface un autre. « Une, deux », continue Monique, en appuyant sur « deux », sans le vouloir. La grosse dame disparaît dans notre sillage, tandis que se rapproche l'île de Charentonneau.

Le canot se dandine, fait le beau au-dessus de son ombre. Une boîte de conserves passe gravement, obéit au courant qui l'entraîne vers le barrage. La lumière semble ne plus devoir grand-chose au soleil : on dirait qu'elle provient des nénuphars, posés comme des lampes au ras de l'eau, entre les réflecteurs de leurs feuilles. Heure tendre : encore une fois, l'usage le veut. Les dix mille couples du samedi se resserrent. Autour de nous, j'en dénombre une demi-douzaine, et ce bon

exemple m'encourage. Il y a déjà longtemps que
nous sommes sortis de l'eau, que Monique a remis
sa robe et fait disparaître son deux-pièces dans le
sac de plage. Je ne l'ai même pas vue faire ;
d'ailleurs, je ne la regardais pas, je l'écoutais et,
comme elle ne disait rien, j'étais sous le charme.
Maintenant elle parle, parce que le moment est
venu des grandes explications. Pour ne pas scan-
daliser ses cordes vocales, elle chuchote :

— Vous me croirez si vous voulez, c'est la
première fois que je sors seule avec un jeune
homme...

— Je n'en suis pas sûr, ni tellement flatté :
j'aime la concurrence, pour la vaincre.

Monique ajoute aussitôt :

— Avec un jeune homme que je ne connais pas.

Tout compte fait, la précision me console peu.
Je n'en suis pas à une contradiction près. Plus
jaloux qu'un Arabe, je suis tout de suite propriétaire de ce que j'aime. (Comme de tout : je donne
facilement, je ne prête jamais. Qui donne, abandonne ou se débarrasse, mais qui prête partage.)
Je regarde Monique et je songe : quand j'achète
une chemise, je la retire du dessous de la pile
pour être sûr qu'on ne l'ait pas vue, pas touchée,
qu'on n'ait pas eu envie d'elle avant moi. Il me
semble qu'elle est plus propre. Mais soyons juste :
la gêne de Monique, tout à l'heure, devant
l'enquête de mon regard, le haïk de confusion
dont elle s'enveloppait, voilà de bons signes.

— Je ne vous cache pas mon embarras, continue
la voix mince. D'un côté, je voudrais que vous

me rassuriez, que vous me disiez où vous voulez
en venir. D'un autre côté, je ne suis pas de celles
qui s'engagent au bout de huit jours et je comprends très bien que vous vouliez réfléchir. Vous
ne savez rien de moi. Je ne sais rien de vous.
Voulez-vous que, ce soir, nous essayions de...

— Oui, parlez-moi de Monique Arbin.

Je l'ai devancée, par prudence. Ou par pudeur :
je ne crois pas que je puisse me livrer le premier.
Au surplus, c'est une vieille loi : l'homme déshabille la femme, d'abord, au propre comme au
figuré... Un brochet saute, et Monique se soulève,
s'amuse à compter les ronds, utilise ce répit. Je
vois bien qu'elle hésite. A genoux, assise sur ses
talons, elle a l'air de se confesser.

— Par où commencer ? soupire-t-elle. Je ressemble à n'importe qui, vous savez.

J'espère bien que non. La seule excuse que j'aie
jamais trouvée à ma mère, la seule raison pour
laquelle je n'en voudrais pas changer, c'est qu'elle
est unique en son genre. Je ne déteste pas le
commun des mortels, je ne lui interdis pas de
m'entourer, mais je ne désire pas qu'il absorbe
les êtres qui me sont chers — ou odieux. Pourquoi
ai-je l'intuition que celui-ci ne saurait être tiré
qu'à un seul exemplaire ?

L'amour ?... Certes, j'en parle anecdotiquement
et je te remercie de ne pas avoir prononcé une
seule fois ce mot pieux. Amour, humour : la rime
me gêne. L'amour !... oh ! là là, je ne crois pas
tellement à ce que je viens de dire, je vais sortir
une niaiserie, mais je puis être niais, ce soir...

L'amour, voilà ce qui rend un être unique (comme Dieu), ce qui le sauve de la médiocrité. Et tout est médiocre, même le parfait, pour qui ne l'apprécie pas. Je le soupçonne depuis longtemps : Dieu ne peut exister que par l'amour des hommes. Et réciproquement. Un être n'existe pour un autre que dans la mesure où il l'a sorti du lot. Premier corollaire : pour Folcoche, je n'existe pas. Second corollaire, plus inquiétant : je ne serai pas unique tant que je ne serai pas aimé. Troisième corollaire : dépêche-toi de m'aimer...

Chuchote, petite fille. Ce que tu me racontes n'a aucune importance ; je le sais, j'ai fait parler Marie avant-hier. Chuchote quand même tout près de mon oreille. Oui, là, plus près. Ne t'effarouche pas : si je t'attire contre moi, c'est pour te rendre la chose plus facile. Je sens ton omoplate sous la robe de plage. Malgré le bain, tu sens encore la savonnette. Au fait, que dis-tu ?

On a dix-neuf ans. On est bien seulette. Maman est morte, il y a huit ans (commentaires navrés sur cette chance. Mais oui, mais oui, je compatis). Papa s'est remarié à Madagascar avec une dame noire, qui porte un nom de neuf syllabes. Papa ne revient jamais ; il fait des enfants à grosses lèvres, en surveillant je ne sais quelle exploitation de raphia (*bougnoulisé*, le papa, si je comprends bien). Fifille, élevée par « tante Catherine », a son certificat, son brevet, son diplôme Pigier ; elle a suivi des cours de coupe, de cuisine et de puériculture. Voici deux ans, elle s'est installée à Paris, chez les Servantes du Sacré-Cœur, spécialistes du

pensionnat pour jeunes filles, et elle est entrée
chez M⁰ Gand, dont elle prépare les dossiers, tandis que ce grand homme prépare ses manchettes.
Elle ne peut quitter la pension avant sept heures
et doit être rentrée pour le dîner, sauf permission
spéciale. Mais cette permission spéciale, qui doit
être réclamée par la famille et donne lieu à
d'âpres vérifications, ne saurait lui être accordée,
car tante Catherine s'est retirée à Montpothier,
petit village de l'Aube, son pays natal.

— En somme, je suis pratiquement orpheline,
comme vous.

Tiens, tiens ! Marie n'a pas renseigné que moi.

— J'avoue pourtant que vous me faites un peu
peur. Si j'avais eu une mère comme la vôtre, il me
semble que je l'aurais contrainte à m'aimer. Une
mère...

Je connais l'antienne. Maintenant, par principe,
je ne proteste plus, je hoche la tête, j'écoute d'un
air pénétré toutes considérations édifiantes sur
les mères. Restons sublime et sombre : ce genre
noir goudronne les routes du succès auprès des
dames, car elles sont toutes des mères en puissance et entendent vous réconcilier avec la profession. « Le premier enfant d'une femme, c'est
l'homme qu'elle aime », répète souvent Paule,
cette inféconde qui a eu beaucoup d'enfants de
cette sorte et dont je suis le petit dernier. Ne
scandalisons pas, en Monique, celle qui veut
m'adopter. D'ailleurs elle n'a pas insisté. Son
chuchotement a repris : il devient inaudible
comme le tic-tac d'un réveil familier. Elle doit

parler de ses petits rouages, de ses routines, de ses compagnes, de sa chambre étroite comme une cellule, de son pot d'azalées... La voix s'éteint et je ne m'en aperçois pas. Nous ne bougeons plus. Le ciel, l'eau, les minutes, tout est lisse, fluide et rose.

Malheureusement, j'ai ma montre-bracelet.

— Sept heures moins dix ! s'écrie soudain Monique, qui bondit sur ses pieds. Je vais être en retard. Et vous ne m'avez rien dit.

— Je vous écrirai.

Nous courons au canot, qu'il faut rendre. Mais, entre lui et nous, il y a deux arbres dont l'ombre est intéressante. Monique s'arrête et me regarde. Plus exactement, je m'arrête et je la regarde.

— Non, fait-elle.

Mais elle ne bouge pas. L'une après l'autre, mes mains tombent sur ses épaules et le haut de son corps s'incline vers moi, tandis que le bas s'efface, m'oppose ce genou, cheval de frise des filles sages.

— Nous allons trop vite. Nous ne devrions pas. Faible conditionnel, vite étouffé.

XXII

PAULE secoue la tête, comme les chevaux qui s'ennuient entre les brancards, comme les chevaux dont elle a la crinière longue, lisse, flottante, équitablement répartie par la raie. Paule secoue la tête, la retourne largement vers moi :

— Ah ! c'est toi. Comment fais-tu pour venir un dimanche ?

Pas l'ombre d'un reproche dans sa voix. Paule sait pour qui je la néglige. Depuis un mois, je ne lui consacre plus que de petites demi-heures, parci, par-là.

— Monique est chez sa tante, dans l'Aube. Elle prend trois semaines de vacances.

— Trois semaines..., fait Paule, d'un air absorbé. Puis elle reprend vivement : je vois ! Faute de mieux, on se rabat sur cette pauvre Leconidec...

Enfin, je ne suis pas fâchée de te voir, j'ai à te parler.

La solennité avec laquelle Paule vient de prononcer ces derniers mots attire mon attention. Ses yeux ont beau être soigneusement peints, leur sclérotique ressemble à la cellophane fripée. Peut-être est-ce la faute de la lumière qui, pour une fois, tombe à flots du haut des toits et submerge le canon de la rue Galande, généralement obscur. Je m'approche de la fenêtre ouverte. Un rayon lointain rend quelques couleurs aux trois bégonias qui s'étiolent dans le caisson de bois pourri, sous la barre d'appui, et que Paule arrose à pleins brocs tous les soirs malgré les protestations des locataires d'en dessous.

— Tu les emporteras dans ta chambre, décide-t-elle. Sinon, le gérant les laisserait crever.

Comme je la regarde avec des yeux ahuris, elle lâche tout à trac.

— Il faut que je te dise : je vais partir pour l'Espagne.

Je comprends de moins en moins. Quelle est cette farce ? Paule reprend :

— Eh bien ! quoi ? Il y a du boulot en masse, là-bas, pour les infirmières. Je m'ennuie, j'en ai marre des respectables clients de la clinique. J'ai envie de soigner quelques salopards du *Frente popular*.

Sur ces mots, Mme Leconidec éclate de rire : d'un rire forcé qui a la couleur et la vitalité de ses bégonias. Je connais les sympathies politiques de Paule : ce sont les miennes, encore qu'elles m'aient d'abord été dictées par le souci de faire chorus avec les ennemis de mes ennemis (qui me sont beaucoup plus chers que les amis de mes amis). Je la comprends d'autant mieux que depuis quelque temps mes *mobiles* personnels font place à des *motifs* plus généraux et que mes nécessités fournissent une base enfin solide à mes convictions. Mais Paule, qui pense ou plutôt qui rêve à gauche et ne s'en cache pas, m'a cent fois proclamé son horreur du bla-bla-bla, des consignes et de l'action directe. Cette décision a d'autres causes, que je devine aisément.

— Je n'ai plus grand-chose à faire ici, maintenant, avoue-t-elle enfin, d'un ton las. Je ne suis plus qu'une vieille bique, bonne pour la boucherie, et encore !

Et voici Paule, la forte Paule, qui s'écroule, qui psalmodie d'interminables jérémiades. Et me voilà muet, glacé. Le plus difficile, dans une situation de ce genre, c'est d'empêcher les femmes de parler et les hommes de se taire. Instinctivement, je me contracte. Je déteste les consolations, à mon usage comme à usage d'autrui. Je suis incapable de trouver les mots qui puissent servir d'étais à un effondrement de doléances. Ma recette à moi serait plutôt la cartouche glissée dans les ruines. Je finis par la placer :

— Tu me fais pitié.

Il n'en fallait pas plus. Aussitôt, Paule saute en l'air.

— Pitié ! Monsieur a pitié de moi ! Est-ce que j'ai eu pitié de lui, moi ? Te figures-tu que je me

sacrifie à ton précieux bonheur ? Ma présence te
gêne, je n'en doute pas. Mais je ne pars pas pour
te faire plaisir... je pars pour me débarrasser
d'une imbécile, pour me débarrasser de moi. Je
me fiche à la porte de ta vie.

Cette explosion s'émiette vite.

Paule écarte les bras comme si elle sortait d'un
tas de décombres et retrouve son calme pour dire,
avec une pointe d'emphase :

— Au moins, je peux le dire, tu n'auras pas
été ma dernière saloperie, mais ma première
pureté.

Pureté ? Je comprends bien ce qu'elle veut dire.
Je ne devrais pas sourire, mais comment faire
autrement ? Que vaut le mot dans la bouche d'une
femme dont la facilité ne me permet pas d'ima-
giner qu'elle ait jamais pu être pucelle ?

Agacée par mon sourire, Paule se secoue et me
jette au nez :

— Evidemment, j'ai fait des sacrifices, j'ai un
peu couché avec toi... Bah ! Il fallait bien moucher
le gosse.

Enfin Paule se retrouve :

— Parlons sérieusement. Je m'en vais parce
qu'il est temps pour toi que je m'en aille. Je ne te
le cache pas, j'ai cru au début que tu finirais par
t'acoquiner avec n'importe quelle coureuse un peu
maligne. Les hommes de ton milieu, dès qu'ils ne
sont plus protégés par les barrières que la bourgeoisie dresse à ses frontières, épousent la première venue. Je me trompais. Ta jeunesse te
protégeait. Bien sûr, tu te mésalieras, mais tu te

mésallieras *bien*. Tu es à l'abri de ce qui constitue
le lot de la plupart des jeunes gens : aimer l'amour
pour lui-même. Impossible au surplus de te tenir
par la peau : tu la méprises. Au besoin tu la détruis
pour lui apprendre l'intégrité. En fin de compte,
tu es bien capable de nous faire une passion.
Mais tu sais sans doute que tu admires ta mère...
Il faudra que tu admires ta femme. Oh ! je te fais
confiance ! Comme pour ta mère, tu en rajoute-
ras. Pour l'instant, si j'ai un conseil à te donner...
pas de bêtises avec Monique ! Tu ne lui pardon-
nerais pas.

Comme je fronce les sourcils, vite indigné,
oubliant la demi-douzaine de petites gueuses que
j'ai passées par les armes, Paule sourit :

— Oui, je sais ! *Elle se défendrait.* Elle a toutes
les vertus, la madone blanche qui a remplacé ta
madone noire ! Ne la presse pas trop pourtant et
marie-toi vite. Si par hasard elle se défendait mal,
elle n'existerait plus pour toi. On ne doit pas
succomber devant la haine : qui succombe devant
elle est détruit. Inconsciemment, tu en tires cet
axiome : on ne doit pas succomber devant
l'amour ; qui succombe devant lui est détruit. Ne
proteste pas... Je ne dis pas que tu le penses. Tu
sais très bien que, si la haine est un combat,
l'amour n'a que les apparences d'un combat,
et qu'en réalité c'est un pacte. Il s'agit d'un instinct profond comme le chiendent et qui ne
s'étend pas seulement chez toi aux questions
sentimentales : tu as été obligé de résister, tu en
as pris le goût, tu en as tiré une grande fierté et

tu n'as plus de considération que pour ceux qui te résistent aussi, car l'estime que nous portons à autrui se fonde toujours sur une comparaison avec nous-mêmes.

Rien n'est plus énervant que de se laisser décortiquer ainsi. Paule le sait et n'en a cure. Explication, avertissement, message... J'ai compris : une main levée, l'autre à plat sur la table, Paule *teste*.

— J'apporte de l'eau à la rivière, reprend-elle, car tu te connais. T'avoues-tu cependant que tu as de la chance ? Ta révolte d'enfant t'a permis d'échapper à ton destin, qui eût été celui d'un insipide et prétentieux Rezeau. Elle n'a plus de sens aujourd'hui parce qu'elle n'a plus d'objet. Mais le pli est pris : toute ta vie, tu vomiras ton dégoût de l'injustice, ce dégoût physique, insurmontable, cent fois plus efficace que la pitié cérébrale. Transpose-le sur le plan social et... Zut pour l'homélie ! Je ne veux pas te raser plus longtemps. Tu vois ce que j'attends de toi... Encore une remarque, cependant, si tu permets. Il y a une chose intolérable chez toi : tu as toujours raison contre ta mère ou tes frères ou contre la société. Le pur, par définition, c'est toi. Je t'en prie, accorde-toi un peu moins le préjugé favorable !

Ouf ! C'est fini. Paule est bien brave et son départ me navre, mais j'apprécie modérément les consignes et j'ai horreur du ton soutenu (chez les autres). Je tremble, car Paule ouvre encore la bouche. Heureusement la voix qui en sort est la bonne voix toute ronde de ma bonne copine, la

voix naturelle, celle qui convient aux choses pratiques.

— A propos de Monique, que comptes-tu faire ?

Réponse en coup de raquette :

— L'épouser, pardi !

Paule me renvoie une balle longue :

— Je veux dire : que comptes-tu faire pour
vivre ? On ne fonde pas un ménage avec des ressources aussi précaires que les tiennes.

Si je ne connaissais pas ma Paule, je pourrais
croire qu'elle joue à l'avocat du diable. Mais ses
préoccupations, qui prolongent les miennes et
qui n'ont pas échappé à Monique, ne sont que
trop fondées. Je ne puis qu'avouer mon impuissance :

— En principe, il n'y a pas de problème. Monique travaille et, moi, je me débrouille. A nous
deux, nous arriverions à vivre. Mais je ne peux
pas épouser une femme qui gagne plus d'argent
que moi et qui est surtout la seule à le gagner
d'une façon certaine. Je n'oserais pas la regarder,
je n'oserais pas avaler *sa* soupe. Et si Monique
a un enfant, si elle doit quitter son emploi ?...
Non, vraiment, tant que je n'aurai pas une situation, je serai obligé d'attendre.

Quatre barres parallèles se creusent dans le
front de Paule, tandis que ses cheveux descendent
à la rencontre de ses sourcils.

— Dangereux, murmure-t-elle.

— J'avais bien envisagé une solution, mais elle
est tellement problématique.

— Dis toujours.

Le regard de Paule me gêne : on y lit trop clairement la hâte d'en finir avec les détails d'un problème résolu. C'est d'elle et non de moi que nous devrions parler. Ma proposition me tombe des lèvres, mollement :

— Je voudrais prendre une patente foraine. Comme les marchés de banlieue ne fonctionnent que le matin, je disposerais de mon après-midi pour gratter du papier. La solution peut manquer d'allure pour un licencié, mais elle assurerait la matérielle d'une façon régulière et décente, sans me détourner de ma véritable carrière. J'arriverai bien à me faufiler dans le journalisme. Ma chronique n'est plus bénévole, j'ai touché hier ma première pige : c'est bon signe. Au pis aller, si je n'y parviens pas, je resterai forain, j'essaierai d'obtenir un emplacement réservé ou de passer dans le commerce sédentaire. Je finirai peut-être dans la peau d'un boutiquier, ma chère...

— Comme moi dans celle d'une abbesse, coupe Paule. Ton idée n'est pas mauvaise. Que veux-tu vendre ?

A quoi bon faire ma Perrette ! Je lui explique pourtant qu'il faut se spécialiser, que j'envisage la vente des bas et des chaussettes de qualité courante sur les marchés des quartiers populaires. A vrai dire, je n'envisage rien. Patente, marchandise et matériel nécessitent une mise de fonds que je n'ai pas. Il y a bien le carnet de Caisse d'Epargne de Monique, mais je n'accepterai jamais...

— Pas de question, trancha Paule. Combien faut-il ?

Je lance un chiffre et nous restons silencieux.
Paule bâille, s'étire, va s'accouder à la fenêtre, en
revient, empoigne son pot à eau, le vide sur ses
bégonias. Elle est, je le vois bien, tout à fait
étrangère à ces gestes. Pour la forme, parce que
c'est dimanche, nous allons sortir, enfiler boulevard sur boulevard, échouer à bout de fatigue
dans un cinéma de quartier. Paule ne desserrera
plus les dents de la journée et grognera en guise
de bonsoir une vague onomatopée. Jusqu'à une
heure avancée la ronde de ses talons agacera le
carreau de sa chambre et sa voix rouillée, cette
voix dont Paule dit elle-même, en termes énergi-
ques, qu'elle ferait « dégueuler un rat », torturera
longuement la rengaine... *Moi, je n'ai jamais eu*
d'homme à moi, je sais pas, j'suis pas si moche.
Peut-être bien que j'suis un peu cloche, peut-être
que ça n'existe pas... Piteux, troublé comme un
coupable et creusant vainement l'oreiller, je finirai par donner un coup de poing dans la cloison.
J'aime bien Paule. Je n'aime pas le mélo.

Mais, demain soir, la même Paule tambourinant
à ma porte vers minuit — un rendu pour un prêté
— fera irruption dans ma chambre, jettera sur la
table une liasse de billets.

— Voici l'argent. J'ai vendu ma bague.

Et j'accepterai, moi qui ai refusé les économies
de Monique, moi qui ne puis rien accepter de
personne. J'accepterai parce que l'enfant accepte
tout de sa mère, parce que, Paule, c'est mon lot
de gratuité maternelle. J'accepterai comme un
enfant, c'est-à-dire mal, sans me rendre compte

du sacrifice et en songeant à l'origine impure de cette bague (Jésus a bien accepté le parfum de Madeleine, cette fille). Je penserai, j'oserai penser : « Dans certains cas, accepter, c'est rendre », et Paule, qui me vaut cent fois, en semblera persuadée.

XXIII

Plus tige que fleur, Monique prenait racine devant moi. Muette aussi, pour ne pas changer, et m'offrant en fait de gestes ce palpitement que toute plante peut mettre au compte du vent.

Rouge, corsetée comme une écrevisse et comme elle hérissée d'appendices bizarres, naturels ou rapportés, l'œil proéminent et jaillissant à bout de regard hors de l'orbite, la tante Catherine m'entourait de petites méfiances, sautillait, reculait dans sa jupe, avançait de biais, m'offrait une pince, grignotait des phrases de bienvenue. La petite allée était blanche, à croire qu'on avait savonné le gravier. Une vigne vierge d'automne tapissait la maisonnette et rougissait pour tout le monde.

— Bien contente... On ne vous attendait pas... Mon Dieu, quelle surprise !... Entrez donc... Ne

faites pas attention au désordre... C'est que je suis
sa mère, en somme.

Les deux dernières phrases étaient superflues,
parce que toutes deux étaient conventionnelles.
Je savais que cet intérieur comprendrait deux
pièces et une cuisine, qu'il serait ciré, astiqué,
meublé de l'inévitable buffet Henri II, de la table
ronde couverte de toile cirée (le fer a marqué son
empreinte brune) et de la commode de style local,
sans oublier les bouts de tapis glissés sous la
moindre sellette, les photos du demi-siècle, les
calendriers du dernier lustre, les coquillages à
gueule rose, le soleil de la bassinoire, l'assiette du
chat, le compotier plein de coloquintes et la boîte
vernie d'où cherche à s'envoler une hirondelle
portant dans son bec la mention « Souvenir de
Montélimar ». Je savais aussi que Mlle Arbin
s'épancherait, volubile, en mon sein et me précise-
rait les mérites câlins, les mérites fidèles, les mérites domestiques de sa nièce — un peu sa fille, on
ne le répétera jamais assez, voyons ! — avant de
me transformer en pelote à épingles sous une ava-
lanche de menues questions. Je savais que je serais
contracté, embusqué derrière mon chapeau et mes
engageants sourires, embarrassé par mes regards
incapables de monter plus haut que les frais
genoux de Monique.

Fort heureusement, Mlle Arbin attendait à
peine mes réponses pour me poser une autre question, sautillait du grave au sérieux. Le mot
« forain » lui sembla louche, fit défiler sans doute
devant sa presbytie l'image d'une tribu de roma-

nichels colportant leur vannerie. Mais quand cette presbytie eut, à bout de bras, déchiffré le mot « commerçant » inscrit en lettres majuscules sur ma carte syndicale toute neuve, numéro 7848, section parisienne de la F. N. S. C. N. S., les paupières cillèrent trois fois pour m'exprimer leur considération. Je fus plus inquiet (et Monique aussi : ça se voyait) lorsque Catherine Arbin s'enquit poliment de la santé de M. et Mme Rezeau, puis de leur avis. Je m'en tirai par des commentaires navrés sur leur état déplorable, et la vieille demoiselle enchaîna, me plaignit de tout son cœur d'avoir de précieux parents si menacés dans leur précieuse vie, leur souhaita miracle et s'enfonça dans une double série de digressions sur les maladies de foie, qui ne l'épargnaient point, et sur les maladies de vessie, dont était atteinte sa meilleure amie et voisine, à telle enseigne que la malheureuse, sauf mon respect, ne pouvait plus pisser qu'à la sonde. Enfin, de petits propos en petits potins, elle revint avec autorité au sujet, cligna de l'œil dans la direction de Monique — statufiée dans son silence — et roucoula :

— Vous venez me la demander, n'est-ce pas ?

Mon menton en convint. En fait, tel n'était pas le but de ma visite. Je ne venais même pas annoncer à Monique la bonne nouvelle de mon entrée dans le commerce « non sédentaire ». Le brusque départ de Paule — le lendemain du don — m'avait laissé désemparé. Depuis dix jours, bien que mon temps eût été dévoré par les formalités, l'achat de mon matériel et mes premiers essais sur les marchés de banlieue, je ne parvenais pas à rester *seul*. J'avais besoin de voir Monique ou de me voir auprès d'elle. Je n'étais pas fier ! Esseulé, moi ? Quel scandale ! Ne m'étais-je pas suffisant ? Où s'en allait cette solitaire vitalité de ma jeunesse ? J'avais beau me dire que l'unité est particulière à l'enfance, parce qu'elle ne connaît que des surfaces et ne pénètre aucune contradiction, j'avais beau me dire que ces contradictions font l'homme et que la permanence d'un caractère se signale souvent par la discontinuité de ses attitudes, je me trouvais faible. A l'exagération près, mes quinze ans avaient-ils raison quand ils hurlaient : « Aimer, c'est abdiquer » ? Ou faudrait-il avouer — en désavouant ma jeunesse — que la force de Brasse-Bouillon n'était qu'un reflet de celle de sa mère, une contrepartie, un courant induit ? « Voyez la bobine ! Tu viens, ricanait le vieux démon, te frotter à la nouvelle inductrice, à la nouvelle force qui est simplement de signe contraire. Oui, tu viens, dans un sens, demander la main de Monique : les enfants ont besoin d'une main pour passer la rue. »

Dernier sursaut de Bb (Bb, abréviatif de Brasse-Bouillon, récemment inventé pour lui faire pièce). J'avais tout bêtement du chagrin et mon orgueil s'en emparait, puisque l'orgueil s'empare chez moi de la moindre contrariété pour en faire flèche. Il s'y mêlait du reste quelque nostalgie : celle du désintoxiqué pour sa drogue, du démobilisé pour l'ardente insécurité du baroud, du type arrivé pour ses anciennes difficultés. S'il est douteux qu'on ne puisse pas faire de bonne littérature avec de bons sentiments, il est certain que les bons sentiments paraissent longtemps fades à ceux qui ont cultivé les autres. Un seul verbe, en ses deux acceptions, résume ce débat : intéressés *au* meilleur, nous restons intéressés *par* le pire.

Cependant Mlle Arbin, triturant les mots sur le devant des dents avec une patience de lapin, parlait toujours. Ne perdant pas l'habitude de ne point écouter ce que l'on me dit, je ne l'avais même pas entendue donner son accord. Mon attention revint en surface pour saisir :

— Il n'y aura pas grand monde à votre noce.

« Mariage », rectifiai-je, replongeant dans mes pensées. « Noce » est plébéien. Et de constater aussitôt : « C'est vrai, tu te mésallies, tu descends. » Mais voici qu'intervenait une troisième voix qui, depuis quelque temps, tranchait ces controverses : « Vous vous rejoindrez. »

Nous nous rejoignîmes, ce soir-là, au fond du potager, dans un carré de citrouilles. Par une brèche du mur, on apercevait quelques arpents de vigne, puis des kilomètres de cette campagne champenoise si différente de mes halliers craonnais. Sur cet immense damier se dressaient quelques arbres isolés, telles des pièces d'échec en fin de partie. Douze moutons bien sales et trottinant parmi leurs réglisses bêlaient dans le pacage contigu. On se tenait très bien tous les deux. Pas de main dans la main, pas d'effusions mineures,

pas de revenez-y à bouche que veux-tu, pas de lan-
gueurs. Surtout pas de pelotage, selon la recette
nationale, ou de « petting » selon la recette améri-
caine : il y a deux puretés, la blanche et la noire,
celle qui respecte ou celle qui enfonce la porte,
franchement. J'ai horreur de la fausse innocence,
qui joue avec les serrures. On se tenait très bien,
vous dis-je. Pas figés pour autant, ni benêts, ni
onctueux, ni méfiants, ni cramponnés aux basques
du décorum. A peine impatients. Très légèrement
farauds, comme ces gymnastes qui défilent, jeunes, vifs et blancs, parmi les crasses du faubourg.
Comme eux, un peu tendus par un souci d'harmo-
nie, par l'hygiène du geste. Presque simples, en un
mot. Bb ne braillait plus, Bb biberonnait son lait
d'Hercule, sa nouvelle force.

— Jean, fit soudain Monique, j'ai une question
à vous poser.

— Allez-y.

Je la voyais venir, sa question ! Nous étions si
bien. Pourquoi tomber dans le pieux, dans le
« poème qui n'a pas quatre mots », dans la gui-
mauve ?

— Avez-vous pensé que nous aurions des
enfants ?

— J'espère bien.

Demande inattendue. Réponse inattendue, ins-
tinctive. Certes, Monique aurait pu, aurait dû
dire : « Voulez-vous avoir des enfants ? » Je n'ai
pas l'intention d'en avoir pour me conformer à
une tradition, à un ordre, mais pour... Pourquoi,

au juste ? Il faut y regarder de plus près. Parce que je n'aime pas tricher : ni avant, ni après. Parce qu'il me déplairait de rester un descendant et de ne pas devenir un ancêtre. Parce que (nous brûlons) l'expérience semble curieuse, intéressante. Parce qu'ainsi (nous y voilà) je pourrai connaître le visage qui m'a été interdit...

— Des enfants heureux, quelle revanche !

Zut ! il ne fallait pas le dire, Monique.

XXIV

L'HIVER était revenu : le premier qui eût pour moi
les grâces du printemps. Depuis quatre mois, nous
étions fiancés officieusement ; depuis quinze jours
nous l'étions officiellement, en vertu de ce faire-
part qui faisait fi de tout protocole : *Monique
Arbin et Jean Rezeau ont le plaisir de vous annoncer...*, etc. Le plaisir... même pas l'honneur ! Il est
vrai que notre bonheur à nous, c'était notre joie.
Bien entendu, je n'avais reçu de personne les féli-
citations d'usage. Je n'avais même rien reçu du
tout, sauf une carte de Fred, postée de Dakar :
*Bravo ! Alors, c'est en vendant cet article que tu
as trouvé chaussette à ton pied ?* J'avais fait peu
de cas de ce trait, bien digne du matelot Chiffe,
mais l'allusion m'avait au moins informé d'une
chose : on restait très au courant de mes faits et
gestes dans la famille. En partie du moins : j'étais

déjà plus journaliste que forain. Si je vendais
effectivement de la socquette et du demi-bas sur
tous les marchés qui ont ou n'ont pas droit de
cité dans l'indicateur Lahure, je tenais toujours
ma chronique, je commençais à donner des nouvelles à divers hebdomadaires de second rang et
quelques papiers à des gazettes mal pensantes.
Plus discrètement, j'assurais le relais d'un maître
fatigué qui daignait signer à ma place et m'aban-
donnait le quart de ses piges. Enfin, plus discrètement encore, j'expédiais des contes à une maison
d'édition qui trustait à l'époque l'industrie de la
presse enfantine (sales mômes ! faut-il vous avouer
que je les écrivais pourtant avec une satisfaction
inexplicable ? Il n'y a que vous pour avoir, avec
grâce, l'enthousiasme du stupide et la foi dans la
justice des dénouements). Emigrant loin de la rue
Galande, je m'étais installé dans un logement du
treizième, que j'avais sommairement meublé (le
crédit, très peu pour moi ! Un objet, comme une
femme, doit vous appartenir d'un seul coup.
L'achat à tempérament ne convient qu'à ceux qui
n'en ont pas. Une table et quatre chaises, un cosy
et une armoire, un buffet et deux tabourets — le
tout dans cet excellent bois blanc qui pompe si
bien des litres de brou de noix et devient noirâtre
ici, jaunâtre là, café-crème ailleurs — suffisaient
largement à monter mon ménage. La ronce de
noyer qui se décolle, le palissandre qui se fendille
ou le rustique qui ne l'est guère, nous aurions tout
le temps d'en comparer les mérites, plus tard,
après notre mariage enfin prévu pour la mi-jan-

vier. Nous aurions pu nous marier un peu plus
tôt, mais le père de Monique, les P.T.T. et le
notaire s'étaient coalisés pour nous faire attendre
le consentement malgache. Pour ma part, je regretterai beaucoup la suppression récente des sommations, dites « Actes respectueux » : j'aurais été ravi
d'exprimer ainsi mes respects à M. et Mme Rezeau.

Je venais de rentrer du marché de Saint-Ouen et
j'étais en train d'écrire *Les Mystères de l'Ile Verte,*
quand ma sonnette grésilla. Je n'attendais personne. Sans amis (j'étais trop pauvre pour en
avoir), sans relations (sauf quelques fraîches relations d'affaires), je ne recevais jamais de visites.
Monique n'avait osé venir qu'une seule fois, lors
d'une brève apparition de sa tante. Etait-ce Paule,
la disparue, qui n'écrivait même pas ? J'allai
ouvrir, certain de trouver la concierge ou l'employé du gaz. Mais je restai médusé... Le chapeau
haut perché sur le crâne, le pantalon godant sur
la bottine, la cravate largement nouée autour du
col cassé et transpercée par l'épingle d'or à tête de
sanglier, le parapluie sur le bras et le ruban violet
fleurissant le col de loutre de sa pelisse, M. Rezeau
souriait à pleines bajoues.

— Pas facile de te joindre, mon petit.

Déjà, les grandes moustaches blanches, posées
devant la bouche paternelle comme une colombe
aux ailes déployées, s'envolaient vers moi pour
me donner le baiser de paix. Puis M. Rezeau et
son parapluie s'avancèrent.

— Ah ! ah ! dit-il encore, après mûre réflexion.

Comme j'observais avec crainte la porte entrouverte, il s'empressa d'ajouter d'une voix qui exprimait toute son autorité, toute sa bien connue liberté d'action :

— Non, non, je suis seul.

J'allais demander : « Quel bon vent vous amène ? » avec une aimable hypocrisie, quand je me souvins des convenances : les gens distingués n'avouent pas le but de leur visite avant quelque échange de balivernes.

— Tu habites un quartier impossible, geignait M. Rezeau. J'ai dû prendre le métro et je déteste ce mode de locomotion. D'ailleurs je déteste cette vie trépidante. Mes contemporains me fatiguent. J'aurais voulu...

Que chantait-il là ? Nul besoin pour lui de changer de contemporains, selon le vœu de Montherlant. Il vivait au siècle précédent, il habitait la maison « de ses ancêtres », il se servait de leur code, de leurs églises, de leurs rentes, de leurs préjugés. Un contemporain, d'ailleurs, qu'est-ce à dire ? Sommes-nous les contemporains d'un Papou, en retard de trois mille ans, ou d'un Américain, en avance de deux cents ? Mais M. Rezeau continuait de gémir.

— Je viens d'être très malade. L'urémie ! Ta grand-mère, ton oncle en sont morts ; c'est le mal de famille. J'ai bien failli les rejoindre, je ne ferai pas de vieux os. Je ne suis plus que juge honoraire : j'ai dû en effet donner ma démission, rentrer à *La Belle Angerie*. C'est ta mère qui s'occupe de tout : je lui ai donné une procuration. Elle est pourtant bien fatiguée, elle aussi. Nous n'avons plus qu'une femme de journée. Impossible de trouver une bonne dans la région : les petites paysannes ne veulent plus se placer, et si par hasard on en trouve une, elle est d'une insolence ! et d'une paresse ! Exigeante avec ça... Oh ! cette génération !

Voilà qui fournissait la transition souhaitable. Pas de doute. La génération allait en entendre de rudes.

— Je le vois bien dans ma propre famille. Je ne viens pas ici en ennemi, crois-le bien, mais il faut tout de même que je te dise : vous exagérez ! Fred va sortir de la marine sans la moindre ficelle, sans la moindre situation. A qui pourrons-nous le marier, je te le demande ? Toi, tu t'amouraches d'une petite sotte, tu fiches le camp parce que nous t'empêchons de l'épouser, tu finis par te débrouiller et, au moment où l'on te croit rangé, tu récidives ! Marcel se tient, je le reconnais, mais il prend des petits airs distants et supérieurs : ma parole, il se figure, celui-là, que la bourgeoisie est un moyen d'arriver. Il est vrai que vous, vous la considérez...

Coup d'œil sévère, par-dessus la moustache.

— ... comme une caste à détruire...

Puis l'œil montant au ciel :

— ... alors qu'il s'agit d'une dignité !

Et toc ! J'en avais pour dix minutes de gloses sur cette dignité qui, aidée par la tradition, assure le maintien des élites et la pérennité de l'idéal... Ce ramas familier, ce ramas confus de locutions

toutes faites, je l'avais oublié. Je n'étais plus du
tout dans le bain, j'éprouvais l'impression pénible — pour mon père — de le voir agiter sous mon
nez un vieux boa de plumes.

Depuis quelques années, sous le même éten-
dard, on faisait beaucoup mieux, on se moderni-
sait, on rajeunissait les formules, on n'avait plus
que le mot social à la bouche, on embauchait le
rouge, au nom du blanc, pour le passer au bleu,
comme de juste. Ça, vraiment, ce n'était même
plus ridicule, c'était amusant, voire intéressant au
titre archéologique, comme le sont les graffiti
politiques des murs de Pompéi.

— Note que je comprends ton état d'esprit,
assurait mon père. Dans un sens, il procède de
cette haute compréhension dont nos familles ont
toujours fait preuve envers le peuple. Nous ne
sommes pas d'affreux capitalistes, nous ! C'est un
sinistre abus de langage que de nous lancer à la
tête ce mot de « bourgeois », injure suprême de
ces primaires qui confondent tout. Je te l'ai déjà
dit cent fois, je ne te le répéterai jamais assez : il
y a bourgeoisie et bourgeoisie. Nous faisons partie de cette admirable bourgeoisie spirituelle, la
seule vraie, la seule juste. On le voit bien en Alle-
magne, encore que cet Hitler ait quelques bonnes
idées : l'écrasement de notre classe y donne libre
cours à la dictature de l'égoïsme. Depuis la Révolution, nous sommes contre tous les abus, contre
tous les privilèges gratuits ; nous défendons seulement un ordre basé sur la situation acquise, donc
sur le mérite... Que disais-je ? Ah ! oui... Tu ne te

trompes pas de fin, tu te trompes de moyen. Notre disparition, ce serait la ruine de ce pays, qui vit essentiellement de son commerce de luxe. Notre disparition... Je ne peux pas te décrire en quelques phrases le désastre national, ce triomphe certain de l'arbitraire et de l'injustice, cette nuit...

— Une autre nuit du quatre août, peut-être ?

Les épaules de M. Rezeau se soulevèrent, sa tête oscilla au-dessus du sanglier d'or, son regard évalua mes meubles, mes valises de chaussettes, puis moi-même, avec pitié.

— Les gens qui s'en prennent à l'ordre établi, reprit-il, sont avant tout des gens qui refusent de s'en prendre à eux-mêmes. Croit-on vraiment rendre service à ce pays en prétendant que tous les gens du peuple sont admirables par droit de naissance, tandis que nous serions tous, aussi naturellement, des profiteurs ?

C'était la première phrase sensée qu'il proférait. Mais tout cela n'avait qu'un lointain rapport avec le but de sa visite. A quoi bon discuter, du reste ! Je connaissais mon père, type de l'imperméable, du monsieur qui se méfie des idées d'autrui sans jamais se méfier des siennes, du juste pour qui l'injustice n'existe pas tant qu'elle est traditionnelle et surtout tant qu'il en est le bénéficiaire. Ce juste fulminait encore :

— Ah ! quand j'ai su que tu écrivais dans un journal de gauche, mon vieux sang vendéen n'a fait qu'un tour !

Ce Vendéen parlait à l'instant de la Révolution... Je me décidai à couvrir d'une large paume un bâillement considérable, et M. Rezeau retoucha l'arc de sa moustache, en soupirant. Dans la quasi-nudité de la pièce, le radiateur avait l'air d'un squelette antédiluvien. De ses douze éléments, éti-rés comme des côtes, montait la respiration de l'air chaud. Un moulin à café ronronnait dans l'appartement voisin.

Le moulin à café s'arrête, et mon père ronronne à son tour, se met à broyer de petites nouvelles, grain par grain. Micou est mariée... Oui, mariée. Il insiste, car j'ai tiqué. Elle attend un bébé. Cette fois, avouons-le, je n'ai pas retenu une grimace. Micou, ma légère, quel immonde satyre t'a donné ce gros ventre ? Ah ! si l'on souillait ainsi Moni-que, j'étranglerais le... Mais ne grimaçons plus, puisque nous pensons à Monique. Micou est mariée, Micou est enceinte, soit ! Il paraît que ceci prouve l'inanité des amourettes et même de l'amour, quand il n'est pas sanctifié par l'unanime consentement des familles. Le protonotaire a depuis peu droit aux boutons violets. Le père Per-rault, le père Barbelivien, la vieille Fine sont morts : Ce que c'est que de nous ! Le cardinal de Kervadec est également mort. On se demande pourquoi Dieu n'épargne point ses grands servi-teurs et les rappelle à la fleur de l'âge, quand leur présence serait encore si nécessaire sur la terre. Mais la petite-nièce du cardinal, Solange Guyare de Kervadec, et un petit-neveu du grand-oncle, en la personne de Marcel, songent à s'épouser : plus exactement, la baronne de Selle d'Auzelle y songe pour eux. Riche, la petite de Kervadec ! M. Rezeau n'ignore point que les filles riches sont généralement ruineuses et que nulle dot ne résiste longtemps aux dévaluations socialistes, mais les Kervadec sont largement pourvus d'excellents principes et d'excellentes terres. Un Marcel Rezeau, garçon intelligent, n'épouse pas une fille de rien et qui n'a rien. Ceci dit sans animosité, car M. Rezeau ne pense pas qu'une fille qui n'a rien soit automatiquement une fille de rien.

Et M. Rezeau continue, mitraillant de loin mes positions sans chercher à les enfoncer. Je commence à comprendre, à deviner les consignes : « Raisonnez-le, Jacques, mais ne le heurtez pas de front, soyez diplomate. » Madame ma mère se couvre. Ce mariage est son plus cher désir, le meilleur moyen pour me torpiller, pour m'assurer une existence mineure, pour écarter de moi tous legs et toutes relations. Lors de l'affaire Micou, il s'agissait de provoquer une rupture, afin de pouvoir me couper les vivres, afin de me mettre dans une situation telle que ma carrière en fût compromise. Le plan n'a qu'à moitié réussi et, cette fois-ci, Mme Rezeau entend se servir de mes propres intentions. Une mésalliance lui devient nécessaire pour détruire parmi les nôtres l'espoir que peut leur inspirer ma demi-réussite. Elle se résigne à mon bonheur à présent, parce qu'elle est bourgeoisement persuadée qu'il sera en fin de compte l'instrument de mon échec final. Il faut pourtant se prononcer contre ce mariage, officiel-

lement, afin de pouvoir dire : « J'ai tout tenté
pour l'empêcher. » Il faut faire quelque chose et
ce quelque chose est la visite paternelle, la protestation du « chef de famille ». Ainsi la face sera
sauvée. Ainsi (ma mère me connaît bien) ma réso-
lution se trouvera confirmée, si par hasard j'hési-
tais encore. Il est certain, au surplus, que la
soumission ne me permettrait pas pour autant de
rentrer en grâce. J'entends déjà Madame Mère :
« Ce garçon n'a pas de caractère. Il ne sait jamais
ce qu'il veut. »

— Tu es licencié maintenant, assure M. Rezeau.
Tu peux, grâce à nous, entrer dans un journal
honorable, tu peux épouser une fille convenable.
Si tu as tellement besoin d'une femme...

Petit dégoût dans la bouche : l'amour, pour un
Rezeau, se confond avec la sensualité.

— Nous te la trouverions assez vite. Allons !
Laisse cette dactylo et nous t'ouvrons les bras.

Ils sont croisés, ces bras, et Papa me regarde
par-dessus son grand nez. Il a l'air très convaincu
et aussi très ennuyé. Affaissé, vraiment vieux,
vraiment touché, il semble respirer difficilement.

— Tu n'as pas fait l'imbécile, j'espère ? Ce
mariage ne devient pas... obligatoire ? Ta mère le
craint.

Je reconnais bien là un produit de la très pure
imagination de Mme Rezeau. Quelle horrible candeur est donc celle de mon père, pour qui seules
restent insoupçonnables la femme et la fille de
César, mais qui ne fait aucun cas de la vertu des
pauvres ?

— Vous savez, dis-je d'un ton sec, il s'agit d'une très authentique jeune fille.

— Tant mieux, tant mieux ! admet M. Rezeau, presque déçu. Que décides-tu ?

Je me soulève pour allonger le bras vers ma table.

— Vous m'épargnez un timbre.

Mon père prend le carton et le lit d'un air méditatif, en retroussant du bout de l'index la houppette blanche de sa tempe. Il n'a plus rien à dire, il semble moins mécontent qu'étonné. Il a joué son rôle : pourquoi ne l'ai-je pas, comme jadis, forcé à sortir de ce rôle, à être autre chose qu'un ambassadeur ?

— Comme on fait son lit on se couche ! conclut M. Rezeau, le petit doigt levé et la moustache sentencieuse.

Puis il se remet à gémir :

— Tout cela me navre. Pauvre famille ! Quel panier de crabes vous allez faire quand je ne serai plus là. Et pauvre *Belle Angerie !* Qui pourra la reprendre ? Ta mère propose un arrangement, mais je suis sûr que vous vous croirez lésés. Si le domaine doit rester aux Rezeau, il faut pourtant que l'un de vous soit avantagé, comme je l'ai été moi-même.

— L'un de nous ? Vous voulez dire : Marcel.

M. Rezeau détourne pudiquement la tête, confus d'en avoir trop dit. Son regard tombe sur le portrait de Monique, fixé au mur par quatre punaises.

— Les belles dents ! observe-t-il.

Sa moustache frémit. Je fais un bond.

— La concierge a le téléphone... Un coup de fil et je vous présente la petite.

— Non, non, non, proteste M. Rezeau. J'ai mon train à prendre. Je m'en vais.

Il se lève, remet son chapeau, époussette machinalement son col de loutre.

— Je ne sais pas quand je pourrai te revoir.

Probablement jamais. Mais nous nous quittons comme si nous devions nous revoir dans quelques heures. Les grands adieux sont généralement de petits à demain. Je le regarde s'éloigner à travers le couloir, vacillant, oscillant, repoussé d'une cloison à l'autre. Une frange de cheveux blancs se retrousse sur la fourrure noire du col. A la première marche, ses bottines à boutons se lamentent, et cette plainte, pour la première fois, me coupe la respiration.

XXV

Je marchais, heureux et bougon, ma femme au
bras, mon livret dans ma poche.

Premier sujet d'humeur : ce grand jour avait
petite allure. De la pension à la mairie, de la salle
des mariages à l'église, du parvis au restaurant,
tout avait été expédié. Hâtive lecture du code, formalités en série du samedi matin bâclées par le
sixième adjoint, bénédiction au rabais sans orgue
ni tapis dans une chapelle de bas-côté, menu quelconque. Monique arborait la robe blanche qui
peut se reteindre, un petit flot de tulle et trois
arums. M⁰ Gand, Mlle Arbin, un cousin éloigné de
passage à Paris, deux camarades de la pension,
dont la dénommée Gabrielle, ma concierge
(embauchée comme témoin par souci de contre-
honorabilité) et un brelan de voisins composaient
tout notre cortège. Je devrais ajouter : l'ombre de

Paule, mais elle n'avait toujours pas donné signe
de vie. Quant à Fred, dont j'avais espéré la présence jusqu'à la dernière minute, il n'avait pas daigné se compromettre ou n'avait pas obtenu de
permission.

Second sujet d'humeur : Mᵉ Gand, solennel et
lointain, très protecteur, avait conduit Monique
devant l'écharpe et le surplis, faute de père. Je
n'avais pu m'empêcher de songer aux noces craonnaises de Soledot : ainsi M. Rezeau menait à
l'autel les filles de ses fermiers, après leur avoir
offert une glace ou une paire de draps.

Troisième sujet d'humeur : je m'étais laissé
bénir. Quelques jours après sa visite, mon père
m'avait envoyé une singulière supplique, où il
reprenait tous ses arguments pour terminer par
cette phrase : « *Au moins, si tu épouses cette
petite, marie-toi religieusement.* » J'avais immédiatement compris (ou cru comprendre : il n'y a pas
que ma mère qui se torture l'esprit), j'avais
immédiatement interprété cette prière : Mme Rezeau désirait un mariage civil et espérait l'obtenir
en réclamant l'inverse. Elle pourrait ainsi déconsidérer ma femme, proclamer qu'elle n'était point
sa bru, mais une maîtresse légale. Elle aurait un
motif sacré pour nous accabler. Je m'étais sur-le-
champ décidé à lui donner satisfaction, mais je
ne me consolais pas d'avoir l'air d'obéir, de me
renier, de sacrifier à des nécessités tactiques.
Certes, les deux tiers de nos contemporains se
marient religieusement par routine. Baptême,
bénédiction nuptiale et absoute font partie d'un

décorum où le curé n'est plus guère qu'un maître
de cérémonies (l'existence d'un tarif et de
« classes » confirme cette manière de voir). Certes,
beaucoup d'incroyants acceptent de passer sur le
prie-Dieu de velours, par politesse, parce que leurs
parents l'ont fait ainsi, parce que leur fiancée,
leur belle-mère ou leur situation les y contrai-
gnent, parce que le mariage civil, après tout, n'est
qu'une formalité, parce que deux sûretés valent
mieux qu'une quand il s'agit d'éviter l'épithète de
concubins et d'avoir droit à l'estime de sa portière. De son côté, Monique ne pouvait songer à
un mariage civil. Elle vivait dans une pension
religieuse pour jeunes filles, non par goût, mais
par nécessité (il n'en existe pour ainsi dire pas
d'autres), pour bénéficier d'une garantie morale,
à laquelle je n'étais moi-même pas insensible. Elle
pratiquait peu, elle allait à la messe comme on
va au bain, elle avait de la religion comme on a
du linge propre. Sa religion, d'ailleurs, c'était
cette dévotion féminine, imprécise, occasionnelle,
qui accroche une médaille à la montre-bracelet,
néglige le Seigneur au profit de ses saints les plus
représentatifs et s'intéresse au calendrier des fêtes
mobiles, surtout quand elle sont accompagnées
d'un « pont »...

Toutes ces raisons — la première eût suffi —
m'avaient donc amené non seulement à laisser
publier nos bans, mais à me taire comme si cela
eût été la chose la plus naturelle du monde. Disons
aussi, à ma décharge, qu'intervenait chez moi la
nostalgie de l'absolu, le désir d'accroître l'impor-

tance de mon acte : dans cet ordre d'idées, j'aurais été capable de passer à la fois devant le curé, le pasteur, le pope, l'iman et le féticheur pour rendre mon mariage valable aux yeux de tous les dieux et selon tous les rites. Pourtant, je l'ai dit, je n'étais pas content de moi. J'éprouvais un curieux malaise : faire les choses à moitié ne convient pas à ma nature. Je n'aime pas non plus obéir à des intentions secondaires : déplaire à Mme Rezeau en plaisant à Monique ne me suffisait pas. Méchants motifs : au nom d'une vieille rancune et d'un jeune amour, ils masquaient mal un compromis.

C'est pourquoi je marchais heureux et bougon sous une petite pluie fine, l'estomac plein de simili-champagne, Monique à mon bras, la tante trottinant dans le sillage du petit tulle blanc en me disant que le premier « oui », seul, avait la force de loi et que Dieu — si Dieu s'en souciait — ne devait pas être très honoré du second, jeté du bout des lèvres à ce vicaire trop pressé qui mâchouillait du bas latin.

Mais le oui important reste toujours le troisième.

Ne comptez pas sur moi pour les détails. Je méprise souverainement les jeunes mariés qui vous racontent, entre deux apéros (ou en deux cents pages), la manière dont ils s'y sont pris pour renverser Madame sur le dos et qui vous confient, béats, le décompte de ses grains de beauté, la description de sa chute de reins, quand il ne s'agit pas de leurs douteux records. Jadis, paraît-il, on se mariait pour faire une fin, donc tard, après avoir assuré sur d'autres le prestige du coq ; on ne parlait de sa femme qu'en termes feutrés, d'une voix de chapon. Je crois que ma génération, qui se marie jeune, se jette dans le mariage pour faire un commencement : elle traite ses femmes comme des maîtresses, elle s'amuse à faire craquer le sommier.

J'entends respecter ma femme. Il ne s'agit pas de capituler devant le romanesque, ni même devant la pudeur. Il s'agit au contraire d'une agression continue contre tout ce que la vie commune réserve de promiscuité, de détails sordides. Une femme que l'on respecte est une femme que l'on combat, que l'on force à se tenir (et Dieu sait si la majorité des femmes ont peu envie de bien se tenir une fois qu'elles ont le droit de se déshabiller tous les jours devant vous !). L'exigence, que m'enseigna ma mère, a peut-être changé de signe, mais elle demeure flagrante : je ne transigerai pas plus avec l'amour que je n'ai transigé avec la haine. Il faut qu'il ait de la classe.

L'amour, la haine, ce sont des mythes. Du bonheur, Montesquieu disait qu'il est *une aptitude*. Une aptitude à un style de vie. L'amour n'est pas ce style, mais l'un de ces styles. L'odieux, c'est que le mot amour serve à tout et ne puisse être remplacé par aucun autre mot, aucune périphrase (tendresse, amitié, affection, passion, etc., n'y suppléent pas, n'ont aucune élasticité). Amour divin, amour filial, amour de la patrie, amour-

amour... que peut-on mettre là-dedans en facteurs communs ? Tous les mots abstraits sont un peu des escroqueries et celui-ci est une trahison. Bien entendu, j'en userai, j'en abuserai, faute de mieux, car des trahisons de ce genre nous sont familières, voire précieuses. Mais entendons-nous : entre Monique et moi, règne ou va régner un état de grâce qui ne peut s'étiqueter.

Je le répète : vous n'aurez point de détails. Aplati sur Madeleine, puis sur quelques autres, je pensais naguère : « Un homme qui souille une femme souille toujours un peu sa mère. » Mais je sais aujourd'hui que le mépris n'est qu'une ressource imparfaite : le respect que nous vouons à un être est une bien pire injure faite à tous ceux à qui nous le refusons. Je ne crois guère aux rédemptions en masse, mais il est bien possible que chacun trouve la sienne — petitement — et Monique n'est rien d'autre pour moi.

Rien d'autre ?... Du moins, je le souhaite. Pourquoi ai-je encore tant de mal à faire abstraction de ta ceinture, de cette ceinture que la mode peut faire glisser de la poitrine au bassin, mais qui a toujours coupé les femmes en deux ? Pourquoi suis-je gêné en ouvrant cette porte ? Ma porte. Notre porte. Je m'efface devant toi. Je mets la main sur ton épaule. Je sens bouger ton omoplate. Et je souris, parce qu'elle va *toucher*, ton omoplate, comme celle du lutteur vaincu. Ne me débarrasserai-je donc jamais de cette vitalité hostile ? Tu es bien moins gênée que moi, ma verticale, en pénétrant dans notre chambre meublée de ce divan, trop horizontal. Femme d'en haut et femme d'en bas, ma seule femme... Pour toi, la chose est simple et ta pudeur s'en accommode. La mienne paralyse le grand appétit que j'ai de toi ! Malgré la loi et les prophètes qui me donnent ici tous les droits, malgré ta bonne volonté qui te rétracte à peine, j'hésite, j'éternise ces gestes qui ressemblent aux préparatifs de l'exécuteur. Délicatesse ? N'en crois rien. Je te prolonge, ma souris. Je suis tiraillé entre l'envie de te happer et la peur de te détruire. Enfin (mais ne le répète pas : ce que je crains le plus, c'est d'avoir l'air exquis) il y a ce soir au fond de moi un type grave, qui prend la chose au sérieux, qui n'entend pas bâcler les rites comme l'adjoint et le vicaire. Toute pompe est lente, et ton troisième oui vaut la cérémonie.

XXVI

L'HEURE est fragile, le petit jour fait tinter ses poubelles et s'étonne de trouver sur la descente de lit un excès de lingerie rose, aussi insolite que cet excès de douceur au fond de moi. Je n'ose me lever, car je n'ai plus que ma veste de pyjama : il me faudra six mois pour m'habituer à la bonhomie conjugale et laisser avouer à mes jambes qu'elles sont trop maigres. Pourtant, Monique dort, éparpillée en travers du lit, la paupière cousue à la joue par un surjet de cils. Elle dort avec une conviction de poupée, touchante à souhait, candide ou consciencieuse, rassurée par son alliance. Mienne, au surplus, bien que le petit jour ne souligne point ce détail : cette qualité devrait être évidente, entraîner son stigmate, comme le signe rouge de Çiva, au milieu du front. Elle dort. Elle respire son sommeil, elle avale de l'air à petites goulées et le bas de son cou palpite à la mode des

rainettes. Si le couvre-pied est un peu de travers,
les draps sont restés bien tirés et je ne les soulève-
rai pas. Il faut ménager mes yeux : en amour, ils
sont toujours servis les derniers, mais ils le sont si
abondamment qu'ils se lassent les premiers. Par
ailleurs, voir n'est rien, si la statue ne sait pas qu'on
la regarde. Enfin j'ai les paumes plus exigeantes
que les pupilles : depuis hier soir, elles connaissent
ces modelés, dont elles sont devenues les moules.

— Mais la connais-tu, elle ?

J'ai parlé tout haut, je reste saisi... C'est pourtant vrai ! Je la connais à peine, cette inconnue,
à peine moins silencieuse quand elle ne dort pas.
Six mois de hâtifs rendez-vous ne m'ont livré d'elle
qu'une fraîche apparence. Le hasard, qui me l'a
donnée et qui peut me la reprendre, reste un
hasard. Comment peut-on tenir si fort à une étrangère, qui n'a pas pris racine avec vous dans les
mêmes griefs, les mêmes routines, les mêmes
souvenirs ? Au pied de notre intimité, il n'y a pas
cette épaisseur de vieille vie, ces détritus d'histoire
commune, ce terreau des familles, qui rend vivaces
les plus belles comme les plus atroces végétations
de sentiments. N'est-ce pas, madame Rezeau ?
Figurez-vous que cette petite s'appelle aussi
Mme Rezeau ! Je gage qu'elle aura quelque mal
à réhabiliter ce nom-là et je me demande surtout
combien de temps il lui faudra pour vous effacer,
pour se rendre plus intéressante, plus présente
que vous... Mais permettez ! Voici qu'on remue et
qu'on s'étire et qu'on grogne un petit bâillement,
peuplé de dents blanches qui offensent vos caries.

— Tu es déjà...

Nouveau bâillement, qui ravale le nouveau pronom. Une paupière se découd, puis l'autre, découvrant des prunelles fort humides, noyées dans leur regard. Un bras sort, s'agrippe au sauveteur, qui plonge parmi le bouillonnement des draps et met bien cinq minutes avant de ramener à la surface cette tête échevelée, cette bouche haletante qui débite vivement le singulier de la deuxième personne :

— Tu as bien dormi ? Tu·veux déjeuner ? Tu te rases ?

Je bondis vers mon pantalon. Puis j'ouvre la fenêtre : l'air a ce matin une qualité particulière ; la voix lointaine de la concierge est moins fêlée. En me retournant, je trouve que les plafonds sont plus blancs que d'habitude, ma chambre me paraît moins nue... Il n'y a plus personne dans le lit. Monique pérégrine à travers l'appartement, en guise de voyage de noces (nous n'avions ni le temps ni l'argent nécessaires pour l'entreprendre, mais je ne le regretterai pas : en quittant la classique chambre d'hôtel, j'aurais eu l'impression d'y oublier quelque chose).

— Où mets-tu les petites cuillères ?

Je rejoins ma femme dans la cuisine. Une demi-douzaine d'objets ont déjà changé de place. L'eau chauffe dans la plus petite de mes trois casseroles, qui furent émaillées. Il n'y a pas de petites cuillères. Il n'y a qu'un bol. Je m'installe. Si je fronce un peu celui de mes sourcils qui est plus haut que l'autre, c'est parce que ma femme est venue

s'asseoir sur mes genoux : ce que nous pouvons
avoir l'air coco tous les deux ! Je voudrais être
agacé et je n'y parviens pas. Le café expédié,
Monique se remet à fouiner, à ranger, à déranger.
Elle trotte, elle chantonne, elle danse sur un pied
et finit par tomber en arrêt devant ce petit flot de
tulle qu'elle portait hier et qui est resté accroché
à la patère. Intervenons.

— On ne pourra même pas en faire un rideau.

Monique ne répond pas. Le nez en l'air, un
doigt dans l'oreille, elle ne rêve pas : elle suppute.

— C'est suffisant, dit-elle enfin, pour faire un
voile de nouveau-né.

Aïe ! Mon sourcil déteste le genre *tout-chose*,
mon sourcil proteste. A tort, du reste, car Monique récupère posément son tulle, le plie en trois,
le glisse dans la valise qui lui servira provisoirement de commode. Elle n'a pas rougi, pas cillé ;
elle ne fait pas du tout une tête d'Annonciation.
Elle ferme sa valise, se relève et s'étire. Ce sourcil,
dont elle ignore les fantaisies, voilà qu'elle le pince
entre deux doigts et tire dessus, en plaisantant :

— De quoi se plaint-il, celui-là ?

Elle ne dira rien d'autre, ne m'interrogera plus
qu'avec ses prunelles, dont le gris se métallise et
qui, trouées par la pupille, ressemblent aux pièces
d'un sou. Petit sou de ma chance ! Je vous
annonce, Bb, que vous êtes un âne. Ni ange ni
bête, votre femme, mais simple au possible et
pourtant résolue ! La bête, c'est vous. Quant à
l'ange, j'en connais un noir qui n'a rien à faire ici,
qui secoue ses ailes et fout le camp.

XXVII

MIEL.

Certes, les abeilles qui me le livraient ne manquaient pas d'aiguillons. *Le plus grand amoureux,*
assure la sagesse hindoue, *déteste sa femme au
moins huit heures par jour.* Je ne détestais pas
Monique, mais nous nous chamaillions avec
entrain. D'abord il fallait bien rester en forme.
Ensuite les réconciliations de la minute suivante
avaient cette saveur aigrelette dont raffole ma
gencive, depuis qu'elle est privée d'acide. Enfin,
il faut bien le dire : il y a Monique et Monique,
la primesautière et la convenable. La première
m'offrait de zéro à vingt-quatre heures ses petites
manies, ses péchés véniels, ses quarts de silence,
ses moues tirées de biais, ses talonnades, son
déshabillage éclair et ce petit sein dur... La seconde
m'accablait de perfections domestiques, dont le
pire était un consentement universel donné à tout

ce qui se fait, se dit, se croit ou se pense. Cette consentante-là m'épinglait partout le mot « bien », sans savoir qu'il signifiait « rien » (comme il appert dans les expressions *bien-pensant* et *je t'aime bien*) et ses consentements, cela va de soi, se rebellaient contre mes refus (car tel est le seul genre de rebellion dont les soumis soient capables). Monique consentait de la tête aux pieds. Quand elle consentait avec certaines parties de son corps, nous ne nous en plaignions guère. L'ennuyeux, c'est qu'elle consentait aussi avec le crâne, qui avait des idées comme il avait des cheveux : vaporeux en apparence, mais enracinés jusqu'à la pie-mère. Et ne me parlez pas de sa docilité envers les références ! Elles dictaient ses lectures (Me Gand), ses dévotions (la sœur supérieure), sa technique du rouge à lèvres (Gabrielle), ses recettes culinaires (Mlle Arbin). Ma tante par-ci, ma tante par-là. L'octave de notre mariage n'était pas encore fêtée que je commençais à trouver la tante encombrante.

Maintenant, dès que j'entendais Monique casser son premier œuf sur l'angle du réchaud à gaz, je ne manquais pas de claironner :

— Omelette aux champignons Catherine Arbin !

Généralement, Monique se contentait de lancer la coquille dans la poubelle, avec vivacité. Une fois, tout de même, elle osa riposter :

— Aujourd'hui, omelette Rezeau. Tu prends de fausses oronges, tu les pèles, tu les fais revenir, tu sales à l'arsenic, tu bats trois œufs, de préférence pourris, tu...

Le reste se perdit dans un grand bruit de four-chette fouettant rageusement une nappe d'or visqueux. Je ne devais pas d'ailleurs en être quitte pour si peu. Le soir même, comme je lui expliquais, à propos de je ne sais plus quel ami de ma mère rencontré dans la journée, que je m'étais « naturellement » refusé à saluer cet individu *puisqu'*il avait droit aux politesses familiales, elle se récria :

— En somme, toi aussi, tu as tes références, mais tu les appliques à l'envers.

Avantage partout ! Rien n'est plus désagréable que de découvrir en soi les défauts que nous reprochons à autrui. Quand, soulevée par la paille, la poutre nous tombe dessus, nous restons écrasés. Pourtant le pire n'était point qu'elle eût raison. En fait, j'obéissais depuis longtemps à deux sortes de critères : les uns anciens, venus de ma famille et qui réclamaient leur contradiction ; les autres, plus récents, fournis par les Ladourd, Paule, Monique et valables comme tels. Or ce pour et ce contre se chevauchaient et leur enchevêtrement me laissait perplexe : c'est le sort de tous les gens qui misent sur des personnes, qui font de leur jugement une annexe de leur humeur. Ma mère était bien pensante. Comment la première pouvait-elle avoir tort, parce qu'elle était ma mère, si la seconde avait raison parce qu'elle était ma femme ? Même si je décrétais, pour m'en tirer, que les opinions de ma mère trouvaient leur source dans l'intérêt et celles de Monique dans une généreuse naïveté, il n'en restait pas moins qu'el-

les se rencontraient. Promiscuité scandaleuse !
Il était déjà déplorable que ma femme fût du
même sexe que ma mère. Cela suffisait ! Ceux que
j'aime et ceux que je déteste ne doivent pas avoir
de points communs. Il me faudra encore des
années pour perdre cette mentalité de partisan.
Paule l'avait déjà dénoncée en me jetant un jour :

— Quel sectaire ! Tu ferais un merveilleux
politicien.

Ce devait être, sous une autre forme, l'excla-
mation de Monique, à qui je faisais remarquer
qu'elle se couchait bien tôt, à cette même heure
où Mme Rezeau nous expédiait dans nos chambres.

— Je ne peux tout de même pas refuser de
faire tout ce que l'on faisait chez toi. On y man-
geait, je pense ? Alors, tant pis, car il m'arrive
aussi d'avoir faim !

Ces frictions n'étaient pas les seules. Notre
intimité — qui tournait rond — avait besoin de
se roder. L'axe (l'axe, c'est moi, évidemment)
serrait sa roue de trop près. Pour une femme,
l'avidité est toujours un hommage, et je ne sache
pas qu'elle s'en lasse. Mais je n'en connaissais
point l'art, qui doit savoir se reposer, donner du
champ, éviter la présence perpétuelle, les « Où
vas-tu ? », le couvage, l'esclavage de l'œil. On dit
que les hommes sont jaloux du passé, alors que
les femmes le seraient du présent (et il est certain
qu'un homme préfère être le premier amour d'une
femme parce que sa jalousie procède de l'esprit

de création, tandis qu'une femme préfère être le
dernier amour d'un homme parce que sa jalousie
procède de l'esprit de compétition). Moi, je n'étais
pas plus précisément jaloux du passé (inexistant),
ou du présent (occupé par moi), ou de l'avenir de
Monique ; je n'étais pas jaloux d'un de ses temps,
j'étais jaloux de son espace. Je devais suffire pour
le meubler. Tu sors, je sors, nous sortons : *ambo*.

— J'inviterais bien Gabrielle, m'avait proposé
Monique, un dimanche.

— Pourquoi ? Je t'ennuie ?

— Ne confonds pas tout. C'est une amie.

Une amie ! Pour quoi faire ? Avais-je des amis,
moi ? Avait-elle des amis, cette femme dévouée, si
exclusivement occupée des habitants de *La Belle
Angerie* ? On n'est bien, on n'a chaud — ou froid
— qu'entre soi. Pas d'étrangers, pas de tièdes.
Voici que de ma bouche, où la langue n'avait pas
tourné sept fois, tombait cette ahurissante profession de foi :

— Moi, tu sais, je ne suis à l'aise qu'en famille.

— Vraiment ! fit Monique, prête à pouffer.

On est à l'aise de bien des façons : les pieds dans
ses pantoufles ou la mitraillette en main. Affaire
de tempérament. Mais je précisais déjà, lyrique :

— Je parle de ma famille à moi... de la nôtre...
enfin de celle que nous ferons.

— Bien sûr ! admit ma femme, allongeant cette
moue particulière aux gens qui commencent à
être touchés, mais craignent de faire seuls les frais
de leur émotion.

Puis, jouant avec ses doigts, elle ajouta :

— Ne nous pressons pas d'acheter une salle à manger complète. Ça ferait trop de chaises vides.

Enfin le petit doigt claqua plus fort que les autres et Monique éclata :

— Ce que tu peux être exigeant ! Tout ou rien, toi et moi, rien que nous... tu me les rabâches assez, tes formules ! Avec la jeunesse que tu as eue, je pensais que tu aurais le bonheur commode.

Au contraire ! Mais comment lui expliquer ? Pouvait-elle comprendre que j'étais habitué à l'excessif, à l'exclusif ? Quand nous professions ce... cet ancien... ce scandaleux sentiment... nous ne cessions point de nous intéresser les uns aux autres. Aprement. Des intenses, voilà ce que nous étions. Et combien attentifs !

— Préférerais-tu un bonheur nonchalant ?

— Ah ! non, fit la moue, qui disparut, miraculée par un sourire.

Miel encore. Ce miel m'engluait peu à peu, enrobait ma violence, beaucoup mieux que n'avaient su le faire le fiel de Folcoche et la salive de Paule. Ni contrainte ni raisonnement n'ont raison des agressifs : s'ils succombent, ce ne peut être que sous les coups d'une crosse d'aorte. Mais cette grâce restait particulière, limitée à Monique. J'avais eu bien tort, jadis, de redouter un affadissement, un affaiblissement général : la fleur et l'acier peuvent être bleus dans la même main. Les prédicateurs, très fidèles à leurs femelles, ne s'en défendent que mieux ; les reîtres sont facilement sentimentaux. Nous ne sommes pas d'une pièce et nos fureurs restent longtemps intactes au milieu de nos joies : le seul service que celles-ci puissent rendre à celle-là, c'est de nous occuper ailleurs, de détourner notre attention.

Je pensais peu à *La Belle Angerie*, mais son climat, par voie de contraste, me devenait chaque jour plus odieux. La voix de garage de la haine, c'est le mépris (cent fois plus pénible pour une Folcoche).

J'avançais doucement — oh ! très doucement ! — sur ce rail, entrevoyant à peine cette nouvelle forme de ma revanche. Certain, toutefois, de n'être pas diminué, mais enrichi. Etonné de découvrir dans l'amour (pour une fois sa définition excuse le mot) un autre mode de la connaissance. Faraud de cette découverte, que d'autres font en tétant, satisfait de ne point la devoir au lait maternel, retrouvant en cet honneur mon allégresse drue et faraude, ma vivacité enfouie sous cinq années d'hésitation.

Non, nos disputes ne comptaient guère. Broutilles que tout cela. De jour en jour, je le voyais bien : ma secrète terreur, celle de voir Mme Rezeau junior jouer auprès de moi le rôle de Mme Rezeau senior, n'avait aucune raison d'être. Les suggestions de Monique ne seraient jamais des ordres déguisés, mais des prières : j'aime bien qu'on me prie, si je déteste qu'on me supplie. Déférente, Monique, et n'usurpant point mes prérogatives ! Toute prête à changer son fameux système de références et à l'offrir à ma colonisation : déjà les « Comme disait ma tante... » cédaient aux « Comme tu le dis... »

XXVIII

— J'AI quelque chose d'important à te dire, pépie Monique. Mais lis d'abord ton courrier... Au fait, ça fait trois mois aujourd'hui, ajouta-t-elle en me remettant une lettre.

Le timbre à date du bureau d'arrivée en fait foi : 16 avril 1937. Trois mois que nous sommes mariés. Je n'aime pas beaucoup ce décompte, patiemment tenu à jour par la ferveur puérile de ma femme et chaque mois resservi. Mais il vaut mieux qu'un « quatre-vingt-dix jours au jus », grignotant impatiemment l'avenir : le calcul rétrospectif ne s'applique qu'aux joies.

— *F.M.*, fait encore Monique. Ce ne peut être que ton frère.

Monique n'ouvre jamais mes lettres : il ferait beau voir ! Elle a seulement pris l'habitude de rester plantée devant moi, l'œil preste, le nez fripé de curiosité, la tête dodelinant de droite à gauche comme celle du chat qui attend que la souris sorte de son trou.

L'épître est bien de Fred. Lui seul gribouille de la sorte et se trahit par une significative absence de barres sur les *t*. Une lettre de Fred, la barbe ! De Fred, libérable dans quelques jours et probablement décidé à me tomber sur les bras. Je n'ai aucune envie de renouer avec lui, ni avec aucun autre membre de ma famille. Ne plus entendre parler d'eux, me débarrasser d'eux, tel est mon vœu, presque sincère. Maussade, je saisis un couteau de cuisine encore gras et j'ouvre l'enveloppe d'un seul coup, avec une force suffi-sante pour consommer un hara-kiri. Sur une feuille de papier quadrillé qui se vend dans les kiosques par pochettes de dix, zigzaguent une vingtaine de lignes bleuâtres. A la cinquième, le couteau me tombe des mains et je murmure :

— Pas de cette façon-là !

— Quoi ? s'enquiert Monique, brusquement inquiétée par la contraction de mes maxillaires. Que dis-tu ?

Mais je me tais, je ne précise que ma pensée... Non, je ne souhaitais pas me débarrasser d'eux de cette façon-là. Sauf d'*Elle*, peut-être. Je revois la chambre de mes parents, les lits jumeaux, la grande couverture en fourrure de loup. Il fallait... il fallait épargner le lit de gauche. Glacé, j'achève la lettre et la tend à Monique, qui lit à mi-voix :

Cherbourg, 14-4-37.

*Mon cher Jean, je reçois un mot de Marcel.
Papa, qui avait déjà eu deux crises d'urémie, la
première il y a six mois, la seconde quelques jours
après ton mariage, est cette fois au plus mal. Pour
que Marcel me prévienne, il faut qu'il soit mou-
rant. Il est peut-être mort à l'heure actuelle. Je ne
suis libérable que le vingt. Sinon je sauterais dans
le train. Malgré la conspiration du silence, je crois
pouvoir te dire que la succession nous réserve des
surprises : la vieille nous a proprement spoliés,
à son profit et au profit de Marcel.*

*Je pense que tu n'es au courant de rien : ils ont
décidé, une fois pour toutes, de t'ignorer, sauf
pour les formalités inévitables. Papa disparu, je
vais sans doute subir le même sort. Une alliance
s'impose.*

A bientôt. Cinq en cinq.

FRED.

Je reste figé, tandis que Monique jette la lettre
sur la table, avec dégoût.

— Il est écœurant, ton frère ! Il se fiche éper-
dument de la mort de son père. Ce qu'il redoute,
c'est d'être déshérité. Mais ton père n'est pas
mort : on t'aurait télégraphié.

— Certainement pas. Fred lui-même a été pré-
venu trop tard. Volontairement trop tard.

Les yeux gris interrogent les miens, se voilent,
effarés. On a beau avoir quelques lumières sur
l'état d'esprit qui règne dans une famille, rien de

tel que des exemples concrets pour vous mettre dans le coup. Quant à moi, avant toute preuve, je suis sûr de mon fait. Je recevrai, trois jours après la mise en bière, un faire-part de grand format, encadré par au moins quatre centimètres de bordure noire, où quarante personnes étaleront leurs titres, leurs décorations et leur degré de parenté avant de se déclarer profondément affligées par l'irréparable perte qu'elles viennent de faire en la personne de Jacques Rezeau, juge honoraire, chevalier de l'Instruction publique, commandeur de l'ordre de Saint-Grégoire, pieusement décédé dans sa soixante-deuxième année, muni des sacrements de l'Eglise. On m'y convoquera à des obsèques dont les cierges seront éteints et l'eau bénite évaporée. Et tout le Craonnais colportera ce jugement sévère : « Les malheureux ! Ils ne sont même pas venus à l'enterrement de leur père ! » Et l'on aura fait disparaître, en notre absence, tous papiers, valeurs et bijoux superflus. Sordide chez Fred, ce souci prend chez moi un autre caractère : j'abandonnerais volontiers ma part pour sauver le domaine comme l'ont fait jadis les frères et sœurs de mon père, mais je ruinerais aussi volontiers la famille pour lui apprendre à se passer de mon consentement.

— C'est abominable, gémissait Monique. Vous ne respectez donc rien ? Devant la mort, tout de même... Que décides-tu ?

— Il n'y a qu'une ressource : téléphoner à la mairie de Soledot. La concierge n'a pas l'inter : je file à la poste.

Je vois bien que mon sang-froid l'épouvante. Pourtant, c'est plus fort que moi, il faut que j'aie l'air indifférent, que je m'en aille d'un pas sec, en piaffant comme un cheval de corbillard.

Un Rezeau sait se tenir en de telles occasions. Nous sommes des durs, nous autres, nous nous rattachons à la grande tradition qui gardait les yeux secs et embauchait des pleureuses. Nous, dis-je, car Chiffe compte peu et, si scandaleux que cela puisse paraître, je suis le presque-aîné, le presque-chef de famille, maintenant. Fermons la porte posément, descendons pas à pas et surtout n'avouons pas qu'au tournant de la rue nous nous sommes mis à courir.

Une demi-heure plus tard, me voici de retour. J'entre à pas de souris, comme si j'entrais vraiment dans la chambre mortuaire. La bienséance exige qu'on semble avoir peur de réveiller le cadavre. Avant toute explication, je vais jusqu'à l'armoire, j'en retire une cravate noire et commence à la nouer. Réflexe bien Rezeau, qui respecte la forme. Et réflexe personnel : j'ai le goût du geste. Monique, assise sur le coin du divan, m'observe sans douceur.

— Mort ? demande-t-elle, d'une voix fêlée.

Il faut ouvrir la bouche, malgré mes dents qui fonctionnent comme un hache-paille et sectionnent des bouts de phrases.

— Mort et enterré... Enterré ce matin à Segré. Je me demande pourquoi : le caveau de famille est à Soledot. J'ai pu avoir le secrétaire de mairie.

Il ricanait. Il a osé dire : « Vous pouvez toujours passer chez le notaire. » Ah ! les salauds !

Suit une sorte de grognement, dont je ne suis pas maître et qui peut s'interpréter de cent façons. Monique doit l'interpréter à mon honneur, car son expression change. L'intuition, cette fameuse intuition que l'on prête aux femmes et qui leur vient en effet quand elles vous aiment ou vous détestent suffisamment (c'est pourquoi celle de ma mère frise le génie), lui souffle à l'oreille de prudentes consignes. Elle ne s'accroche pas à mon cou, larmoyante et postillonnant des hélas. Elle se débarrasse discrètement de sa veste de crêpe de laine : parce qu'elle est rouge. Et voilà sa bouche qui s'entrouvre, mesure sa voix, avoue pour mon compte :

— Moi aussi, j'ai le chagrin mauvais.

Je n'en crois pas un mot, mais on accepte mieux ce que l'on croit partager. J'ai le chagrin mauvais, j'en conviens, et, s'il est mauvais, c'est qu'au moins il existe. N'ergotons pas plus longtemps : j'ai du chagrin. J'en ai, comme j'ai de l'amour : sans le savoir et malgré moi. J'en ai pour tout ce qui n'a pas été, pour le peu de chaleur que refroidit cette mort, pour cette craintive bonté qui battait toujours en retraite sous la flamboyante impuissance de la moustache. O mon père ! Si tous nos souvenirs peuvent être maintenant passés à profits et pertes, si pour établir votre actif autrement que chez le notaire je recense vos affections, ces rentes perpétuelles que nous servent nos proches... ô mon père, comme

vous étiez pauvre ! Plus Job encore que jobard !
Et si vos mouches, empalées sur aiguilles ultra-
fines ou collées de biais sur moelle de sureau, si
vos fiches généalogiques, vos massacres de per-
dreaux, vos réceptions honorées par le tout-
Craonnais vous ont suffi et consolé, comme vous
m'êtes incompréhensible ! Je ne vous reproche
pas d'avoir été un chef dérisoire, un mâle de mante
religieuse, je vous reproche d'avoir été père
comme on est parrain, d'être seulement mon plus
proche ascendant. Je vous regrette, bien sûr, car
tout deuil nous coupe des racines. Je vous regrette
comme un pays vaincu regrette une province
infertile, un morceau de désert annexé par
l'ennemi. Vous aviez vos oasis... Vous souvenez-
vous de l'interrègne au cours duquel vous fûtes
promu *lieutenant général* de votre propre
royaume ? Vous souvenez-vous des « ponts », du
voyage dans le Midi, de vos trémolos devant la
tapisserie d'*Amour et Psyché* ? Je me souviens,
moi. Vous n'étiez pas un méchant homme. Vous
n'avez pas eu de chance. Vous êtes tombé sur une
amazone et sur ce rude métis de Pluvignec, votre
fils. Allez-vous-en, mon père, sur la pointe des
pieds ! Vous ne serez guère plus absent de ma
vie, mais vous ne serez plus responsable de rien
et surtout de cette absence. Je vous en voudrai
moins, si je vous en ai voulu. Je ne vous oublierai
pas. Oh ! je n'époussetterai pas tous les jours
votre souvenir, mais je vous offre mieux qu'une
messe de fondation et un cadre doré dans le couloir glacial de *La Belle Angerie*.

— Chéri, crie Monique, je savais bien que tu
n'étais pas de marbre.

Il faut croire que cela se voit. Tant pis ! Je me
secoue, je tente une diversion.

— Et cette chose importante que tu devais me
dire ?

— Mon Dieu, fait ma femme en détournant la
tête, cette nouvelle, ça gâche tout.

Elle tire son mouchoir, le plie, le déplie : signe
chez elle de grand embarras. Ses traits tirés, ses
paupières mauves, ses seins qui roulent, plus
lourds, sous le chemisier, m'ont déjà renseigné,
ont déjà soulevé en moi une joie obscure qui ne
veut point s'avouer. Mais il ne convient pas, surtout aujourd'hui, de mépriser une coutume de
mon clan : qui sait doit savoir ignorer, car l'officiel seul est valable. Enfin Monique se décide et
l'annonce jaillit, voilée :

— Une génération s'en va, souffle-t-elle. L'autre
arrive.

XXIX

Nul faire-part. Pas de Fred. Pas de nouvelles, durant deux mois ! Enfin voici cette convocation du notaire, où il m'est recommandé de faire établir un pouvoir régulier, si je désire être représenté. Mais cette suggestion m'a laissé froid : je me représente très bien moi-même et j'éprouve si peu d'appréhension à me retrouver en présence de ma famille que je n'ai pas hésité à emmener ma femme. Nous avons simplement pris la précaution de passer chez le teinturier. En y regardant de très près, quelque malintentionné dirait qu'il nous manque un peu de noir. Il n'y a que le noir neuf pour être parfaitement funèbre ; la teinture a toujours des hésitations. Je ne crois pas non plus que notre allure soit assez écrasée, nos chevilles assez discrètes.

Bien qu'un petit flot de crêpe (du crêpe de Chine très mince : deuil mineur) ait remplacé le

petit flot de tulle blanc que Monique portait cinq
mois plus tôt, ce voyage reste un voyage, un ersatz
de voyage de noces. Ma femme, cette fille de l'Est,
s'est accrochée depuis Le Mans à la portière :
elle s'étonne de ces haies qui se resserrent de plus
en plus. Nous avons changé de train à Sablé, puis
à Segré, et le tortillard vient enfin de nous déposer
à la halte de Soledot qu'un bon kilomètre sépare
du village.

— Sô..led...ôt ! chante l'unique employé, se gar-
garisant de ces *o*, voyelles essentielles de ce pays
pluvieux, et agitant avec satisfaction son drapeau
rouge.

Il le roule aussitôt, tandis que nous sautons sur
le gravier étoilé de pissenlits et que le train
repart, soufflant gris, vers Chazé. On ne me salue
point : ce cheminot était naguère le seul électeur
de Soledot capable de refuser sa voix au marquis
de Lindigné et d'expédier ses gosses à l'école
laïque. Mais le portillon secoue déjà sa ferraille
derrière nous. Bocage, ma patrie ! Intimement
mélangés, l'air est vert et l'herbe vive. Les talus
ploient sous leurs ronces et sous leurs têtards de
chênes, coiffés de près à la serpe. Le chemin creux
de la Croix-Rabault s'enfonce entre les halliers :
ses ornières luisent, larges comme des fossés,
remplies à ras bord d'une eau visqueuse où rouis-
sent les trognons de choux. Voici la porcelaine
mince des églantines, dont le fruit, cet automne,
fournira aux gamins du bourg d'inépuisables
réserves de poil à gratter. Voici le jaune acide des
colzas, les rouvres rongés de parmélies, les petites

vaches qui partagent avec les pies l'honneur
d'hésiter entre le noir soutane et le blanc barrière.
Voici l'Ommée, offrant sa bourbe aux battoirs des
laveuses. Voici Soledot, dont le clocher file la
laine grise des nuages. Sur la place triangulaire,
ne frémissent plus que onze tilleuls : je cherche
en vain le douzième. Epicerie, café de la *Boule
d'Or*, maréchal-ferrant, charron, poste rurale,
cure : partout, les rideaux bougent d'un centimè-
tre. Nulle autre apparence de vie sous les masures
basses. Comme il se doit, Mᵉ Saint-Germain habite
une maison plus haute, un peu à l'écart, à distance suffisante des choucas, des bruits d'enclume,
des sorties d'école et des relents de corne brûlée.

Escorté par son clerc, le notaire vient nous
ouvrir lui-même. L'homme est du type noisetier ;
tout menu, tout grêle, agité par le moindre dépla-
cement d'air et cependant pourvu de mains très
larges, très plates, de vraies feuilles, retenues au
corps par le mince pétiole du poignet. La tête
n'existe pour ainsi dire pas : elle se réduit aux
yeux, noisettes imprécises, où s'entortillent les
paupières. Il nous précède, ce léger, il s'insinue
entre les portes capitonnées et, renvoyant son
principal, nous fait asseoir sur du velours rouge.
Lui reste debout, dédaigne son bureau et, balancé
au souffle de sa propre haleine, se ploie pour les
condoléances.

— Laissez-moi d'abord vous dire, Monsieur et
Madame, toute la part que je prends...

Nous savons qu'il prendra sa part : probablement plus grosse que la mienne. Du bout des lèvres, je lâche des remerciements qui suffisent à le relever. Quittant le genre pénétré, Mᵉ Saint-Germain manœuvre autour de sa table et se juche sur le fauteuil à vis qui lui permet de dominer la situation.

— Vous êtes en avance. Vous auriez eu tout le temps d'aller jusqu'à *La Belle Angerie*. Enfin, je crois que vos frères sont là pour préparer Madame votre mère à ces pénibles formalités.

C'est tout ce que se permettra le tabellion. Cela veut dire : « Vous êtes un fils dénaturé, mais je ne veux rien savoir. » Il sait, Mᵉ Saint-Germain, il sait mieux que quiconque pourquoi je ne suis pas allé au manoir, pourquoi je débarque directement dans son étude. Il affectera jusqu'au bout de ne pas risquer un cil au-dessus du mur de la vie privée, même si ce mur est mitoyen avec la notoriété publique. Rien de ce qu'il est censé ignorer et rien de ce que je suis censé connaître ne franchira la barrière de ses chicots. Je ne sais comment il a pu enchaîner, mais le voilà lancé dans d'interminables considérations sur le recul du patois et de la coiffe, l'expansion du doryphore, l'envasement progressif de l'Ommée. Incises, digressions, remarques entrecoupées de silences et débitées avec un art consommé de la phrase lente, font tourner le cartel. Ni Monique, ni moi-même, qui nous limitons à d'engageantes onomatopées, ne l'aurons aidé un instant. Pourtant, quand retentira l'impérieux coup de sonnette

attendu, c'est tout juste si M⁰ Saint-Germain ne
s'excusera pas d'être obligé d'interrompre cette
intéressante conférence. En tout cas, il ne dai-
gnera point surprendre le chuchotement précipité
de Monique :

— Dis, chéri, dois-je dire bonjour à ta mère ?

Réponse inutile. Veuve de pied en cap et le
regard même en berne, empaquetée dans ses voiles, s'avance une vieille Andromaque qui ne semble
rien voir ni rien sentir et qui s'effondre doucement
dans le fauteuil que pousse sous sa robe M⁰ Saint-
Germain. Marcel et Fred, qui sont tous deux
en civil et portent deux costumes noirs identiques, ne semblent pas non plus s'apercevoir de
notre présence et prennent place aux côtés de
Mme Rezeau, un peu en retrait. Dans le coin où
nous nous sommes retirés, nous paraissons et
nous sommes, en effet, Monique et moi, très
accessoires. Avant de se réinstaller à son bureau,
le notaire renouvelle ses condoléances, rappelle
en termes feutrés les mérites de notre père, son
voisin, ami, client et collègue au conseil municipal.
Son regard ne quitte guère celui de ma mère,
comme s'il était attiré par ce casse-noisettes.
Marcel ne bouge pas. Fred se retourne une
seconde — enfin ! — et m'honore d'un battement
de paupières.

Puis Saint-Germain redevient un officier minis-
tériel. Il s'assied et sa voix monte, va se percher
au sommet de la gamme :

— Je ne vous ai pas convoqués plus tôt,
Mesdames et Messieurs, afin d'éviter des compli-

cations inutiles. M. Marcel Rezeau n'est en effet
devenu majeur qu'avant-hier... Nous voici donc
réunis pour prendre connaissance d'un testament
olographe qui a fait l'objet de l'habituel procès-
verbal d'ouverture et que me communique le
président du Tribunal. Ce testament est le plus
classique, le plus juste qui soit.

La main plate pénètre par la tranche au milieu
du dossier vert jade qui sommeillait sur le bureau.
Le pouce et l'index en extirpent une simple feuille
de papier à lettre à l'en-tête de *La Belle Angerie*.

— En principe, reprend le notaire, ce testament
aurait dû être fait sur papier timbré et non sur
papier libre. Il garde toute sa valeur juridique,
mais nous n'éviterons pas une petite amende lors
de l'enregistrement. Ce bon M. Rezeau connaissait
pourtant son Droit ! Vous permettez, Madame,
que je lise ce texte ?... Voilà... *Je soussigné,
Jacques Rezeau, ancien substitut, demeurant à
Soledot, Maine-et-Loire, déclare léguer à ma
femme, née Paule Pluvignec, le quart en toute propriété et le quart en usufruit de tous les biens,
meubles ou immeubles qui composeront ma succession. Je révoque purement et simplement tous
autres testaments antérieurs à celui-ci. Fait, écrit,
daté et signé entièrement de ma main, à Soledot,
le 28 octobre 1936.*

Mᵉ Saint-Germain lève le nez, ce nez minuscule
où ne se poseraient pas deux mouches à la fois...

— En somme, commente-t-il, Mme Rezeau béné-
ficie de la quotité disponible et chacun de vous,
messieurs, recueille la part à laquelle il a droit

comme réservataire. Je voudrais bien m'occuper tous les jours de successions aussi claires.

Fred se détourne une seconde fois : il ricane d'un seul coin de la bouche, celui que ma mère ne pourrait pas voir, si elle daignait l'observer. A mes côtés, Monique esquisse une moue dont je devine le sens : « Cette femme prostrée, ces dispositions impartiales, doit-elle penser, contredisent tout ce que mon mari m'a raconté. » Pour ma part, je me réserve : je sais ce que valent, dans ma famille, les apparences magnanimes, destinées à la galerie. Le notaire continue, d'un ton normal, presque gai :

— Vous pouvez accepter ce legs en toute tranquillité. Si l'actif n'est pas considérable, il n'y a aucun passif. La fortune que laisse M. Rezeau se décompose de la façon suivante...

Tous les visages se pétrifient, hormis celui de Fred qui s'amollit, qui laisse tomber son menton. Mais un doigt de Mme Rezeau a bougé et l'on distingue la palpitation du cou de cette statue. Saint-Germain retrouve sa voix de lecteur de réfectoire.

— Les comptes courants de M. Rezeau, tant au Crédit Lyonnais qu'au Comptoir d'Escompte, font apparaître un solde créditeur de 40 000 francs. Je n'ai pas encore évalué les titres, déposés en mon étude, mais je les connais bien et, à peu de chose près, je les estime à 200 000 francs. Mme Rezeau m'a signalé que le coffre du défunt contient en outre un demi-million de valeurs diverses, provenant d'un récent réemploi. Nous trouvons donc, environ, 740 000 francs, dont 185 000 en toute propriété pour Mme Rezeau, 185 000 en usufruit et pour chacun des enfants.

Comptes, décomptes... Je le sais, mon père n'avait pas grande fortune mobilière. L'essentiel des revenus de la famille vient de la confortable dot de Madame Veuve. Il y a aussi les fermes. Pourquoi Me Saint-Germain ne parle-t-il pas de *La Belle Angerie*, de ses meubles, de ses tapisseries ? Marcel, là-bas, avale sa respiration comme un œuf dur. Attaquons.

— En ce qui concerne *La Belle Angerie*, que personne n'est capable de racheter, je pense que nous pourrons demeurer indivis.

— Hein ? fait le notaire, dont les mains voltigent, emportées par un ouragan de stupéfaction.

Tous les cous, dévissés d'un quart de tour, se sont tournés vers moi ; tous les visages expriment le même étonnement, intense et candide. Quel est ce petit garçon ? De quelle lune tombe-t-il ?

— Voyons, voyons, balbutie Me Saint-Germain, vous savez bien que votre père, démissionnaire et ne disposant plus de ressources suffisantes, a vendu son domaine en viager, au mois d'octobre. L'acheteur lui en a donné un demi-million, celui dont je vous parlais tout à l'heure ; il lui assurait aussi une forte rente. Le malheur a voulu que votre père disparaisse...

Mme Rezeau joint les mains, pitoyable.

— Ah ! j'en conviens, gémit-elle, c'est une bien mauvaise affaire. Mais mon pauvre mari aurait dû vivre encore vingt ans, nous ne pouvions pas prévoir sa mort. Me voici sans maison et bien heu-

reuse que l'acheteur accepte de me garder comme
locataire !

Dans cinq minutes, il va falloir la plaindre. Les
« arrangements », eux aussi, commencent à devenir clairs. Allons jusqu'au bout, malgré les yeux
de Monique.

— Et les meubles ?

— *La Belle Angerie* a été vendue meublée,
reprend ma mère avec une vivacité qui la trahit.

De mieux en mieux ! Il ne manque plus qu'un
maillon à la chaîne.

— A qui ?

Marcel est écarlate, le notaire se tasse dans son
fauteuil. Madame Veuve fait front.

— De quoi te mêles-tu ? *La Belle Angerie* est
vendue et ne figure pas à la succession, un point,
c'est tout. Ton père n'avait pas, je pense, besoin
de ton autorisation pour disposer de son bien et
vivre décemment ses vieux jours.

Mais Fred, trouvant une minute d'audace, se
penche vers moi.

— L'acheteur, c'est M. Guyare de Kervadec,
ricane-t-il.

Voilà le pot aux roses ! J'ai compris. Je réfléchis
très vite, je tâche de prendre une décision et surtout une attitude avantageuse, tandis que Me Saint-
Germain, se trompant sur mon silence, tire rapidement du dossier des pièces toutes préparées. Il
a soudain l'air très pressé. Comme dans un rêve,
je l'entends murmurer : « Voulez-vous signer,
Madame... ici... et là... puis là... Je vous remercie. »
Mme Rezeau se soulève, appose son rude paraphe

et retombe dans son fauteuil. Je sens son regard
qui me surveille : c'est lui maintenant qui cherche
le mien, vainement. J'observe Marcel qui se déta-
che de sa chaise, pesamment : soixante hectares,
un par minute, lui tombent sur le dos depuis une
heure. Il signe, imperturbable. C'est le tour de
Fred. Mais Fred hésite, regarde successivement le
stylo que lui tend la main accueillante du poly-
technicien, puis sa mère, puis moi-même.

— Ne signe rien.

Je suis debout. Je croise les bras, je martèle
mes mots :

— Résumons-nous. Mme Rezeau, nantie d'une
procuration générale et agissant au nom de notre
père, très malade, a vendu en dernière minute la
propriété et ses meubles, c'est-à-dire l'essentiel de
la succession, pour une somme dérisoire.

— Un viager ! rétorque Mᵉ Saint-Germain, tandis que Mme Rezeau se contracte, fait de violents
efforts pour rester dans son rôle.

— Un viager de tout repos : mon père était déjà
condamné. Et qui achète la propriété ? M. Guyare
de Kervadec, le futur beau-père de Marcel. Parions
qu'avant un an elle sera revenue dans la famille,
au bénéfice d'un seul, avec un bon petit usufruit
pour Mme Rezeau. Le tour est classique. Par ailleurs, si le demi-million représente le prix de vente
et doit être retiré de la fortune mobilière, le
compte n'y est plus. Je ne demande même pas ce
que sont devenus l'argenterie et les bijoux... Il
s'agit là d'une spoliation, les tribunaux décide-
ront.

On entend un bruit sec : lâché par Fred, le stylo vient de tomber. Marcel s'avance, les mains en avant, comme s'il voulait protéger sa mère. Quant à celle-ci, dépouillant sa faiblesse, ruse inutile, elle se redresse d'un seul coup, tel Sixte Quint après l'élection. Elle gesticule, fait voler ses voiles : on dirait une araignée au centre de sa toile.

— Tu peux faire ce que tu voudras, vocifère-t-elle. J'ai tout prévu. Le patrimoine ne tombera pas aux mains d'un vaurien qui depuis dix ans ne fait que des sottises, qui nous humilie de toutes les manières, qui détruit tout ce que nous avons de sacré. Un valet de chambre ! Un camelot ! Un raté qui vient de faire le plus stupide des mariages...

C'est curieux, la voix de ma mère manque de naturel ; elle déclame, elle s'enroue, elle reprend péniblement son souffle pour lancer, tragique :

— Un mariage qui a tué ton père !

Marcel s'efforce de l'entraîner. Me Saint-Germain est au supplice et postillonne en vain des « Voyons, voyons ! » du côté de ma mère, et des « Très légal, vous savez ! » de mon côté. La vieille, déchaînée, s'en prend maintenant au chef de nom et d'armes.

— Toi, le matelot, tu peux boucler ta valise. Ne compte plus sur moi pour te tirer d'affaire. Ah ! vous faites une jolie paire, tous les deux.

Nous y passerons tous, même Monique, qui s'avance, souriante. (Je sais pourquoi elle sourit : elle sait enfin à quoi s'en tenir.) Elle a le tort de mettre la main sur mon épaule, de murmurer :

« Allons-nous-en, *chéri !* » Elle répondra immédiatement du crime de tendresse. Sur le pas de la
porte, échappant au bras de Marcel, Madame Mère
se retourne et crache une dernière tirade :

— Vous, la midinette, tenez-le-vous pour dit :
vous ne ferez jamais partie de la famille.

Dans un éclair a lui la dent d'or. Ah ! écraser
cette dent, son maxillaire et sa tête ! Mais voici une
autre lueur : la main de ma femme, où brille une
légère alliance, me saisit le poignet, impérieuse.
Une Monique inattendue, insensible à l'humiliation, apparemment invulnérable, répond d'une
voix suave :

— Vous avez donc une famille, Madame ?

Nous n'avons plus rien à faire ici. Nous repar-
tons. J'aurais voulu auparavant aller sur la tombe
de mon père, mais Fred, qui vient de faire un saut
jusqu'à *La Belle Angerie* et nous a rattrapés sur la
route, m'explique, tout essoufflé :

— M. Rezeau est mort à l'hôpital de Segré où,
par souci d'économie, l'avait fait transporter son
épouse attentionnée... A propos, sais-tu le dernier
tour que vient de me jouer cette inconsolable
veuve ?... Elle a exigé que je fasse ma valise devant
elle, comme le jour où nous sommes partis au
collège. Elle m'a fouillé, pour être bien sûre que je
n'emporte rien de ce qu'elle nous a volé. Elle n'a
pas changé, la douairière !

« Douairière » me plaît. La vraie Mme Rezeau,
doublement vivante, c'est ma femme dont je suis
actuellement très fier, parce qu'elle a su lancer le

mot de la fin. Pourtant, si l'ancienne n'a point changé, d'où vient le sentiment qu'elle m'inspire aujourd'hui ? La première colère passée, je ne retrouve plus cette fureur profonde, qui soutint ma jeunesse, qui avait conclu avec l'adversaire un pacte d'inimitié. Nos grands heurts passés n'étaient pas aussi pénibles que celui-ci : ils étaient parfois exaltants. Notre haine a dégénéré : son admirable gratuité sombre dans des questions de gros sous.

— Nous reviendrons, triomphe Fred. J'ai tout de même réussi à lui passer sous le nez une des clefs de la serre. Comme on n'entre jamais par là, la vieille ne s'en apercevra même pas.

J'examine avec intérêt la clef rouillée qui tourne au doigt de mon frère.

— Ah ! la garce ! jette-t-il encore, en torturant son nez.

— Il fallait le lui dire tout à l'heure ! fait doucement Monique, qui saute dans le fossé et se met à cueillir un bouquet de stellaires avant de me sauter au cou, sans raison apparente.

Fred détourne la tête : de telles démonstrations l'agacent. Mais soudain — pour quelques secondes — je trouve la succession moins importante, l'eau de l'Ommée plus claire et le jaune colza moins acide. En dehors des corneilles qui craillent noir en s'enlevant lourdement, il y a tout de même des alouettes qui tire-lirent et turlutent très haut, à fleur de soleil.

XXX

Rentrés à Paris, nous avions dû héberger Fred.

— Très provisoirement, mon vieux ! assurait-il.

Ce provisoire menaçait de s'éterniser. M. Rezeau
(mon frère tenait beaucoup, depuis la mort de son
père, à ce qu'on supprimât son prénom sur les
enveloppes), M. Rezeau trouvait naturelle mon
hospitalité et, comme elle ne comportait plus de
patates bouillies, jouait hardiment de la four-
chette. Nous n'avions pas hésité à faire l'achat
d'un divan démontable, dont M. Rezeau usait
beaucoup, encore qu'il le trouvât « un peu dur ».
Car il daignait même se plaindre, et sa gratitude
de chardon commençait déjà à m'agacer le tym-
pan.

— Si tu n'avais pas mis le feu aux poudres,
ronchonnait-il, je serais resté à *La Belle Angerie*.

La vieille m'avait reçu par prudence, pour essayer de me neutraliser ; elle n'est pas si sûre de son fait ! J'étais à pied d'œuvre pour la surveiller... Je suis certain qu'en fourrageant dans ses papiers on doit arriver à dénicher quelque pièce compromettante.

Il est vrai que, parfois, il changeait de disque :

— Si tu m'avais laissé signer, j'aurais pu demander une avance au notaire.

Toute la journée, nous avions les oreilles farcies de ses chiffres. La succession aurait dû monter à quatre ou cinq millions, chacun d'entre nous aurait dû recevoir sa « brique ». Avec cette brique, première (et dernière) pierre de la seule construction que Fred s'avérât capable d'élever à sa propre gloire, il eût fait ceci, il eût fait cela et encore autre chose, notamment quelques fameux gueuletons. Son cadet ne savait que brailler, n'avait aucun plan. Lui, Fred, avait le sien, et on allait voir ce qu'on allait voir. La première chose...

— Ce serait de travailler..., insinuait Monique.

Mais, si feu notre père avait les mains fines et ne croyait point que toute situation fût honorable, Ferdinand Rezeau, fils de Jacques, avait les mains molles. Décidé — « Comme toi, mon vieux ! » — à faire n'importe quoi, pourvu que ce n'importe quoi ne fût pas quelque chose. Fred marinait dans l'attente. Trois années de fainéantise militaire l'avaient entraîné au parasitisme, d'ailleurs conforme à son tempérament. Au bout de huit jours, j'avais renoncé à lui confier mon matériel et à l'envoyer à ma place sur les marchés. Cette

solution, qui me permettait à la fois de caser mon
frère et de récupérer du temps, s'avérait impra-
ticable. Ahuri, réticent, grincheux, paralysé par
une vanité puérile, Fred décourageait les chalands
et, sur le peu qu'il vendait, prélevait une dîme
importante.

Nous n'osions nous en débarrasser. La générosité chez Monique, l'orgueil chez moi nous inter-
disaient de le jeter à la rue. Son agaçante présence,
par ailleurs, me rendait un service indirect : Fred
— je crains bien d'avoir fait ce calcul — achevait
de déconsidérer ma famille aux yeux de Monique.
Il me servait aussi d'agent de renseignements, de
démarcheur secret auprès des spécialistes de la
chicane que les répugnances de ma femme m'em-
pêchaient de consulter. Si mon frère n'avait pas
le sang agressif, il avait tout de même la salive
hargneuse ; il faisait un bon mouchard et me
permettait de ne pas me salir les mains en tripa-
touillant moi-même les boues de la procédure. Je
le laissais donc courir les officines et se pendre
aux bavettes des robins, quitte à prendre un air
angélique quand ma femme s'écriait, excédée :

— Fichez-nous la paix, Fred, avec votre procès ! Imaginez que votre famille n'avait pas de
fortune, et le résultat sera le même.

C'était bien mon avis, mais non pas celui de Bb,
brusquement réveillé par les vociférations de
Madame sa mère. Si celui-là se moquait aussi de
la fortune, il exigeait le châtiment.

Un mélange de soleil et de poussière tombait

sur ma *Camppartout*, chapeautée de toile rouge.
Le vent balançait les étiquettes, accrochées au
bout de leur fil mauve. Maussade, je jouais du
plumeau, j'époussetais sans cesse mes piles de
chaussettes, bien alignées sur la claie foraine. Ce
dimanche de fin de mois était un mauvais dimanche, mais un mauvais dimanche est encore meilleur qu'un bon samedi : un ambulant ne peut pas
chômer le jour où ferment les sédentaires.

J'étais seul. D'ordinaire, Monique, profitant de
sa semaine anglaise, venait m'aider, et cette silencieuse, au geste et au sourire souples, savait être
démonstrative : démonstrative à blanc en quelque
sorte. La conviction avec laquelle Monique vous
roulait une paire de chaussettes autour du poing
incitait le client le plus maussade à lui en acheter
deux paires. Mais je ne voulais plus la voir debout,
cinq heures durant. Je préférais la laisser à la
maison, bien assise et follement excitée par le dernier numéro de *Mon Tricot-Layette*.

Je venais d'abandonner mon plumeau et j'en-
courageais, d'un joli mouvement du menton, une
matrone intéressée par mon étalage, quand Fred,
surgissant d'on ne sait où et bousculant les casseroles du quincaillier voisin, se fraya un passage
jusqu'à ma table. Il voulut bien écouter, d'un air
supérieur, la cliente qui m'expliquait son anatomie (le marchand, comme le médecin, n'est pas
un homme : on peut lui confier d'horribles détails)
et qui se plaignait de ses cuisses, capables de faire
éclater les meilleurs bas.

— Eh bien ! n'en portez pas ! conseilla cet

excellent vendeur, sans me laisser le temps d'offrir mon 4 renforcé.

Puis il saisit un bouton de ma veste et claironna :

— Il faut en finir, mon vieux.

Heureuse idée ! Mais Fred jetait à une nouvelle cliente un « Laissez-nous ! » péremptoire et continuait à découdre mon bouton en me soufflant au nez :

— Je n'ai pas pu te parler hier soir, devant ta femme. Il y a du nouveau. Je viens de savoir que Marcel et la vieille sont à Paris, chez les Pluvignec. Prétexte officiel : l'Exposition. En fait, la douairière ne mettra sans doute pas les pieds au palais de Chaillot, elle est venue endoctriner le grand-père, qui, lui aussi, est assez vieux pour faire un mort. *La Belle Angerie* est fermée pour une quinzaine : c'est le moment d'agir. Tous les hommes d'affaires sont d'accord : il est impossible d'engager une action en rescision si nous ne pouvons pas produire au moins une pièce compromettante. En soi, malgré son faible prix, la vente est valable : comme il s'agit d'un viager, il est difficile d'invoquer la lésion des sept douzièmes prévue par la loi. Mais il doit exister un courrier Rezeau-Kervadec, peut-être même une contre-lettre ou une reconnaissance de dette fictive. Car enfin la vieille n'est pas folle et elle a dû prendre ses garanties pour le cas où le mariage de Marcel et de Solange n'aurait pas lieu. Si nous saisissons ces papiers, nous avons de fortes chances de bousculer leurs plans. Madame Mère ne les

a certainement pas déposés dans un coffre de banque : en période de succession, ce serait dangereux. L'objectif numéro un doit être l'armoire
anglaise de sa chambre. Par la même occasion
nous pourrons rafler les bijoux, s'ils y sont. Elle
ne les a pas déclarés... Les bijoux, voire de l'argent, hé, hé ! Bonne petite affaire !

La cupidité l'échauffait. Ses postillons giclaient,
drus, parfumés au pernod. J'étais écœuré, mais
tenté. Pourquoi avais-je revu ma mère ? Pourquoi
avais-je ainsi réveillé ma rancune ? J'étais maintenant coincé par cette alternative : me laisser
dépouiller, c'est-à-dire me laisser vaincre, c'est-à-
dire m'avilir aux yeux de ma mère (et aux miens),
ou me défendre par des moyens aussi répugnants
que ceux de l'adversaire, c'est-à-dire m'avilir aux
yeux de ma femme (et aux miens, encore une
fois).

Cependant Fred, de plus en plus éloquent, réunissait brin par brin son fagot d'arguties. D'après
lui, nous n'avions rien à craindre : entre mère et
fils le code n'admet ni vol ni violation de domicile.
Mme Rezeau se trouvait provisoirement locataire
de *La Belle Angerie*, il suffisait de ne point toucher aux meubles, propriété fictive du père de
Solange. Du reste, nos ennemis se garderaient
bien de porter plainte : leur prudence leur interdirait d'attirer l'attention du fisc, aussi fraudé
par les dissimulations que nous étions spoliés.
Rien de plus facile que d'entrer dans la maison
sans effraction ni escalade : nous avions la clef
de la serre. Rien à craindre des voisins, de Barbe-

livien ou de sa femme : la présence des fils de maison restait, somme toute, naturelle, et nous nous arrangerions pour ne pas être vus.

Fred se figurait-il par hasard que j'avais peur ? Les dents serrées, je commençais à emballer ma marchandise.

— Vous partez déjà ? fit le quincaillier. Dans ce cas, je vais m'étaler un peu de votre côté.

— Etalez-vous, étalez-vous, mon ami ! décréta Fred avec un sourire négligent.

Dans l'autobus, entre deux grognements (mes valises et mon matériel pesaient leur poids et les receveurs manquaient rarement l'occasion de me faire remarquer qu'ils encombraient la plate-forme), Fred reprit sa patiente argumentation de petit allié, qui cherche à mettre en branle une grande puissance.

— De quoi aurions-nous l'air, je te le demande, si nous cédions après avoir annoncé que nous allions casser les vitres ? Je ne te comprends plus. Après tout, tu n'es pas seul en cause. Tu n'as pas le droit de laisser dépouiller ta femme, même consentante, et à plus forte raison tes futurs enfants. Nous ne réclamons que notre dû. Un million, te rends-tu compte ? Monique n'aurait plus besoin de travailler, et toi, au lieu de balluchon-ner misérablement ta camelote, tu pourrais ache-ter un commerce sérieux. Non, je ne te comprends plus... Tu étais autrement fortiche, dans l'ancien temps. Maintenant, il faut que ce soit moi qui t'épaule ! Ma parole, tu t'embourgeoises !

Le soir, évidemment, malgré la protestation des prunelles grises, je retenais nos billets.

XXXI

Nous y voilà, tout brûlants, tout excités, diables dans la braise.. Il s'agit d'une vieille braise, sur quoi s'efforce le soufflet usé de ma rancune. Mais l'on sait que les derniers tisons sont toujours prodigues d'étincelles.

Nous sommes descendus à Soledot, très franchement, en choisissant toutefois le train du soir. Evitant le village, nous avons pris ce raccourci discret qu'offre le chemin de la Croix-Rabault et nous avons pénétré dans le parc à la hauteur du barrage de l'Ommée. Dans le parc... c'est une façon de parler, il n'y a plus de parc, il n'y a plus qu'un immense chantier d'abattage. Fred m'avait dit qu'une équipe de bûcherons saccageait la futaie. Depuis un mois, la douairière a fait du beau travail ! De tous côtés s'allongent les chênes, les tulipiers, les platanes, les cèdres, les ormes, arbres pour la plupart centenaires, plantés par des générations de Rezeau et qui portaient presque tous un nom : celui d'un aïeul ou celui d'un saint, parfois les deux. On y accrochait de petites niches et des bouquets craonnais, au temps des Rogations. Seule, une Pluvignec pouvait ordonner ce massacre.

— Prudence et rapacité, s'exclame Fred. On réalise les titres végétaux. Si nous obtenons gain de cause, les bois seront toujours vendus. La vieille appelle ça : « Sauver le patrimoine ! »

Mon frère peut protester : je comprends ma mère. Moi aussi, je serais capable de tout saccager, d'adopter cette politique de la terre brûlée. La moitié de ces cadavres portent les V. F. rituels, et j'approuve soudain la disparition de ces symboles périmés. Mais je ne retiendrai pas un cri de rage en contemplant un dernier tronc, déjà ébranché, prêt pour le fardier et couché parmi un fouillis de copeaux, d'aiguilles et de déchets d'écorce : celui-ci est mon isoloir, celui-ci est mon taxaudier, tombé de plus de vingt-cinq mètres de hauteur en travers de la pelouse. Merci, ma mère ! Vous me rendez service, vous offrez à mon humeur défaillante une convenable provocation. Je marche d'un pas plus sec, tandis que Fred devient au contraire circonspect, lorgne les buissons, n'avance plus que dans mon sillage.

— Il faudrait peut-être attendre la nuit, souffle-t-il. Barbelivien rôde souvent de ce côté-ci, au crépuscule.

Aucune importance. Cette maison est celle de mon père, dont je suis l'héritier naturel. Je suis chez moi. Même en présence de Marcel, même en présence de la Veuve, j'entrerais maintenant de vive force. Je suis lancé, et quand je suis lancé, je ne sais pas m'arrêter facilement.

— Donne-moi la clef.

Fred s'exécute. Il est redevenu le peu brillant second, l'aîné de pacotille, qui renifle à petits coups son inquiétude. La clef tourne dans la serrure et je ne fais rien pour l'empêcher de grincer. J'entre dans la serre en tapant des pieds, carrément.

Si quelque paysan, aux aguets, derrière une haie, a pu nous apercevoir, tant de sans-gêne doit lui faire croire que je vais arroser les bégonias en train de crever de soif dans leurs potiches de porcelaine fêlée. Du premier coup d'œil, je dénombre une dizaine de larges toiles d'araignées où s'est déposée une vieille poussière. La chaleur et l'orage ont fendu les carreaux de la verrière. Des gourmands de glycine se faufilent par tous les interstices et s'allongent démesurément, au petit bonheur.

Ceci n'est rien encore. Dans la salle à manger nous attend un spectacle bien plus pénible. Les peintures s'écaillent, les boiseries vermoulues s'effritent, les grands flambeaux d'argent, la coupe monumentale qui ornait la cheminée, les landiers de fer forgé, les étains, tout a disparu. Seuls, restent en place les gros meubles, ternis par l'humidité et dont la masse brunâtre tranche sur les murs nus. Car les tapisseries, orgueil des Rezeau, les verdures, le « Perroquet bleu », la « Cassette de Pâris », « Amour et Psyché » ont aussi disparu. On ne voit plus que la trace des clous qui tenaient les lattes de support, et de grands chiffres, tracés au fusain, numérotent les panneaux.

— Le soleil est sur l'Amour ! ricane Fred.

Le soleil, en effet, *devrait être* sur l'Amour : nous sommes aux jours les plus longs de l'année et le crépuscule nous envoie de biais ce rarissime rayon qu'une tradition antérieure au règne de Folcoche honorait d'un baiser de paix. O dérision ! Je retrouve cet étrange accord, cette singulière satisfaction : il est logique, il est normal qu'Amour et Psyché aient émigré de cette maison.

— Nos tapis ! Nos bergères ! s'indigne mon frère, qui vient d'ouvrir la porte de communication avec le salon.

Fred dit *nos* pour *mes*. Possessif parfaitement inutile : tapis et bergères restent introuvables. Nous ferons des constatations analogues dans toute la maison. Tout ce qui présentait quelque valeur s'est envolé. Dieu sait où ! Quelque grange de ferme craonnaise abrite sans doute ces trésors moisis. Dans la bibliothèque, il n'y a plus un livre. Dans la grande galerie, les armes ont quitté leur râtelier, mais les ancêtres sont toujours là, navrés de n'avoir aucune valeur marchande. La cuisine a perdu ses cuivres, et nous ne découvrirons dans le buffet que les reliefs du sordide appétit de notre mère : un reste de bouillie grumeleuse, trois feuilles de salade confite et un quignon de gros pain,

dur comme la glaise recuite de septembre. Il y a
aussi, dans la huche, un sac de haricots, que Fred
éventre et dont le contenu s'éparpille sur le carreau. N'oublions pas la bonbonne de vinaigre, où
nage une mère vireuse et plantureuse comme un
poumon. Le vinaigre est le seul luxe de
Mme Rezeau, dont l'estomac aime les décapants.
Fred saisit un balai et le plante dans la bonbonne,
en guise de bouquet. C'est moi maintenant qui ne
cache plus mon appréhension : mon frère est
déchaîné comme une troupe en retraite. Si je ne
m'interposais, il se laisserait aller à ce vandalisme
des faibles et des vaincus.

Mais je l'entraîne du côté du pavillon. Je grimpe
l'escalier qui conduit au Saint des Saints : la
chambre de nos parents, et l'enthousiasme de
Fred tombe d'un seul coup, au moment où j'ouvre
la porte. La terrible présence est encore assez
forte pour lui en imposer. Il frissonne. Il chuchote :

— Te souviens-tu ?

Certes, je me souviens ! La nuit tombe, qui sent
l'air corrompu, la bougie molle, l'eau de gouttière croupie. La nuit tombe, traversée par le vol
froid des chauves-souris, tandis que se précise le
morse des rainettes et que retentit le premier
ricanement de la hulotte. Il y a dix ans, je venais
ainsi, sur mes pieds nus, m'accroupir sous cette
porte pour surprendre l'aigre dialogue de mes
parents, qui s'interpellaient par-dessus la ruelle
séparant leurs lits jumeaux. Allons, entrons vite,
l'armoire anglaise est là, massive et, bien entendu,

fermée à double tour. Dans l'ombre, luit cette glace devant laquelle se rasait notre père.

— Je tire les rideaux... Toi, Fred, allume la lampe Pigeon qui doit se trouver sur la table de nuit.

Nous savons ouvrir une armoire, depuis l'époque de la *cleftomanie !* Une fois retourné, le crochet qui traîne sur la coiffeuse fera l'affaire. Si ma main tremble un peu, c'est parce que ce crochet est celui dont M. Rezeau se servait pour mettre ses bottines à boutons... Je sens son regard qui me perce le dos, car il est là, sur le mur, toque en tête et rabat sous le menton, la moustache déployée, toute une ferraille exotique épinglée à la simarre rouge des professeurs de Droit, tel enfin que le perpétue son portrait. Un léger déclic annonce le retrait du petit pêne, et je me retourne, victorieux et confus. « J'ai vécu vingt ans dans cette chambre, semblent dire les yeux de M. Rezeau, et je n'ai jamais ouvert cette armoire. » Fred suit mon regard et grogne :

— Tu sais, mon vieux, ce n'est pas l'heure de faire du sentiment.

La lampe Pigeon fait brasiller ses yeux de chacal et met en vedette les ongles trop longs de cette main qui s'allonge, impatiente, vers l'intérieur de l'armoire. Je le sais bien, si ce petit chacal avait pu s'arranger avec ma mère, si elle n'avait spolié que moi, il aboierait de toutes ses forces à mes chausses. Il m'aime, celui-là, précisément comme le chacal aime la panthère : pour les charognes qu'elle lui abandonne. Laissons-le faire,

laissons-le s'acharner sur les tiroirs dont les
secrets ont une insoutenable odeur d'entrailles.

— Je ne vois pas les bijoux, grince mon frère,
désolé.

Je m'y attendais. Les bijoux ne rapportent rien.
Madame veuve, qui n'en use guère, a dû en liqui-
der la plus grande partie pour se faire des rentes.
Voici tout de même un serpent de platine aux
yeux de saphir, que sa propriétaire a sans doute
conservé par sympathie raciale, et que Fred met
dans sa poche avec empressement.

Hormis son alliance et sa bague de fiançailles,
notre mère semble n'avoir rien conservé d'autre.
Il ne reste qu'un tiroir, fermé à clef. Sans attendre
que je le crochète, Fred retire le tiroir de dessus
et passe la main par l'ouverture. La main ramène
d'abord un cahier de moleskine noire, tandis que
mon frère annonce, déçu :

— Peuh ! les comptes de la vieille probablement.

La prise est pourtant excellente. Il s'agit d'un
répertoire où sont consignés, mois par mois, tous
les titres dont les coupons arrivent à échéance.
Nous connaîtrons ainsi la liste exacte des valeurs
de la famille.

— Des lettres !

Mme Rezeau est une femme d'ordre : toutes ces
lettres sont ficelées par petits paquets, étiquetées.
Nous éplucherons cela plus tard.

— Un portefeuille !

Fred a détaché les syllabes avec passion. Mais
son intérêt fait très vite place au dépit. Le porte-

feuille ne contient que des photos. Des photos du seul Marcel, du « frère de Chine », *Marcel à six mois*, nous confie l'écriture cunéiforme, chevauchant au verso. *Marcel. Changhaï, 12 juin 1920.* Marcel encore, *17 mai 1921, à bord du* Porthos. Marcel toujours, debout à côté de sa mère. Il s'agit d'une photo tronquée, il s'agit de notre unique photo de groupe : les ciseaux sont intervenus et nous ont guillotinés. Admirons enfin cette dernière épreuve, toute récente, qui a peut-être quinze jours : Marcel en sous-lieutenant.

— Presque attendrissant, dit Fred. Tu y comprends quelque chose, toi. Elle l'a toujours un peu préféré. Pourtant, quand nous étions gosses, elle le traitait à peine mieux que nous...

A peine mieux que nous... Mieux, quand même. Mon frère est seulement étonné. Moi, je suis atterré. J'ai l'impression de respirer de l'ouate. Ce que j'ai pu être idiot ! J'entends encore ces rodomontades : « Tu ne pourras rien penser, ma mère, que je ne devine très vite », ou encore : « Si ma mère a des antennes, j'en ai aussi... » Courtes, les antennes ! Je croyais jadis qu'elle se servait de Cropette sans l'aimer », qu'elle lui accordait les menues faveurs de la trahison. Elle ne se servait pas de lui, elle le servait. Elle l'aimait et, qui pis est, elle l'aimait tel qu'il était, indigne d'un tel choix. Cette combattante avait des complaisances pour ce soumis ; le beau monstre préférait ce bésiclard studieux, froid et calculateur. Etrange découverte qui éveille en moi une jalousie inattendue ! La vipère avait du sang chaud. Ses fureurs étaient en partie calculées. Son attitude a été sans doute une politique, que je n'ai pas comprise.

Une tardive intuition me traverse, de part en part. Ne m'expliquez pas, ne m'expliquez rien... Je le saurai toujours trop tôt. Ah ! nous avons réussi ! Même si cet amas de papiers ne contient rien de plus intéressant — et je parierais bien le contraire — nous n'avons pas fait chou blanc !

Mon frère peut continuer à fouiller... Que fais-je ici, enrôlé sous sa bannière ? Voyez le beau merle qui, faute de mieux, découvre encore une boîte de fer-blanc bourrée de coupures — moins de dix mille francs — et qui remplit ses poches en gloussant de plaisir ! C'est à peine si je pourrai sourire, lorsque, s'emparant d'un flacon d'iode et d'un de ces tortillons de papier dont grand-mère faisait des bouquets (et qui servent à allumer les lampes à pétrole dans les vieilles maisons craonnaises dépourvues d'électricité), Fred peindra sur la porte, en s'esclaffant, cette épitaphe anthume :

Ci-gît Folcoche.
Sa mort
sera le premier acte agréable
de sa vie.

XXXII

Ferdinand s'appelle ainsi parce que notre père
s'appelait Jacques, notre grand-père Ferdinand,
notre arrière-grand-père Jacques et ainsi de suite,
en alternant à chaque génération. Moi, je m'appelle Jean. Le père de Madame, honoré du même
prénom, a peut-être cru qu'il m'avait été donné
pour lui faire plaisir et je gage que rien n'a été
fait pour le détromper, car il était sénateur et,
surtout, fort riche. Mais, en réalité, je perpétue le
souvenir de Jean Rezeau qui fut, paraît-il, « plan-
teur en chef des forêts du roy » (nous dirions
aujourd'hui, plus modestement, garde général des
eaux et forêts). Quant à Marcel, il aurait dû s'appeler Michel, comme le protonotaire, ou Claude,
comme le Vendéen, mâle conquérant des Ponts-
de-Cé. M. Rezeau y faisait quelquefois allusion :
« Ce pauvre Cropette, j'aurais voulu le mettre

sous la protection de l'un des saints qui ont l'habitude de s'occuper de la famille. Ta mère a exigé
qu'il s'appelât Marcel. Drôle d'idée ! Pourquoi pas
Théodule ? En ligne directe ou collatérale, je ne
connais pas un seul Marcel parmi les Rezeau. »

A tout prendre, il est possible qu'il n'y ait toujours pas eu de Marcel parmi les Rezeau. J'en
reste abasourdi : voilà bien la dernière chose dont
je me serais douté. C'est pourquoi je dis : *il est
possible*. Par pudeur. Par pudeur envers ma longue et scandaleuse ignorance, s'entend. Disons
donc prudemment : Marcel semble s'appeler ainsi
parce que, dans la correspondance de Madame
notre mère, il y a un autre Marcel, attaché au
consulat général de Changhaï. Ce Marcel écrit
vingt-huit fois, et ses lettres se partagent en trois
séries : la série « Chère Madame », la série « Chère
amie » et la série « Ma petite Paule ». Entre les
deux Marcel, je me suis permis de faire un rapprochement. Le même rapprochement était à la portée
de M. Rezeau : il lui eût coûté six pas, depuis son
lit de cuivre jusqu'à l'armoire anglaise où il ne
fourra jamais le nez durant vingt ans. Mais une
telle femme connaissait un tel homme : il y a des
faiblesses plus utiles qu'un coffre-fort.

— Sacré Cropette ! Jolie bouture de canapé !
jubile Fred, ce légitime aîné, si bâtard de tempérament.

Nous venons de rentrer et nous sommes pen-
chés sur le courrier de notre mère, comme le phar-
macien sur le flacon d'urine qu'il s'agit d'analy-
ser. « Vous avez fait bon voyage ? » s'est conten-

tée de nous jeter Monique, en ne m'accordant qu'un baiser très sec. Je l'entends qui bat des œufs dans la cuisine, mais elle ne fredonne pas comme d'habitude. De cinq minutes en cinq minutes, elle fait une apparition dans la chambre et nous lance un coup d'œil, curieuse parce qu'elle est femme, inquiète parce qu'elle est plus précisément la mienne.

— Lisez-moi ça, ma petite belle-sœur ! propose Fred, en se frottant les mains.

— Merci bien ! répond Monique qui s'esquive, réprimant un haut-le-corps que ne justifie pas son état.

Je ne partage pas ce dégoût. Du moins, je ne le partage pas de la même façon, parce qu'il s'y mélange un douteux plaisir. Une ganache de père, une mère indigne et maintenant impure, un aîné incapable, un autre frère qui ne l'est plus qu'à moitié... La voilà dans toute sa splendeur, la chère famille, dont toutes les gloires sont mortes et les biens dévolus, ô poème ! à ce Marcel, à ce coucou ! Je ne saurais pourtant me réjouir longtemps. D'abord, il n'y a pas de preuves franches : les lettres n'en fournissent pas, restent suffisamment vagues, à mi-distance de l'allusion et de la réserve. *« Je ne sais si je dois me féliciter de ce que vous m'apprenez »*, dit la plus nette, l'avant-dernière, dont le ton est presque froid. La dernière, qui semble inaugurer une quatrième série, celle qu'il conviendrait d'appeler « la série silence », peut être interprétée de la manière la plus candide : *« J'aurais accepté avec joie de le ou de la tenir sur*

les fonts, mais vous savez que l'on m'envoie à Val-
paraiso. » Certes, la preuve est mince. Elle est
valable pour moi, elle est décisive comme l'amorce
qui fait sauter la bombe. Elle rassemble autour
d'elle des arguments mineurs qui la corroborent :
ce prénom, ces cheveux châtains qui ne s'assortis-
sent pas à nos crins noirs, cette construction particulière du visage, cette apparence, ce comportement de Marcel qui signalent chez lui un métis-
sage différent et surtout cette préférence que lui
a toujours vouée notre mère. Préférence revêche,
bien camouflée, devenue plus franche à mesure
que le temps passait et progressivement parvenue
à ce qu'elle est aujourd'hui : une exclusivité, nullement secrète et qui cherche à peine à se légitimer en invoquant la mention *très bien*, le bicorne
et les épaulettes.

Le plus pénible de l'affaire, c'est que cela soit
une explication. Je ne me plains pas de ce qu'elle
soit insuffisante : en pareil cas, dit le proverbe,
*graine de paille ne vaut jamais graine de bois de
lit*, et il faut des tempéraments comme celui de
Mme Rezeau pour inverser la coutume, pour
imposer le champi au détriment des enfants de la
chambre. Je ne me plains pas de ce qu'elle ait,
cette forte pécheresse, fait d'une faute une raison
d'Etat, après bien d'autres, et transformé en
gifles l'énergie de ses *mea culpa.*. Je comprends
très bien que cette dominatrice se soit attachée
au plus faible, à celui qui tenait tout d'elle et
d'elle seule. Je me plains de cette explication parce
qu'elle est une explication : parce que toute expli-

cation (surtout tardive) me détruit la mère que je
m'étais choisie. Un monstre m'avait été donné,
un monstre unique en son genre et qui était ma
génitrice. Voici qu'on met à la place une femme
coupable, une femme courante, inspirée par des
sentiments ordinaires, presque humains, peut-
être encore plus humains que je ne l'imagine.
Maintes fois déjà, j'ai refusé d'écouter les commentaires indulgents qui soulignaient les consé-
quences funestes de l'ovariotomie, de l'ablation de
la vésicule biliaire, ou qui s'essayaient à trouver
des excuses dans la propre jeunesse de cette
femme bouclée dans un pensionnat jusqu'à dix-
huit ans, puis jetée dans les bras du premier venu
par la hâte égoïste des Pluvignec. Ces interpréta-
tions me hérissaient, soulevaient en moi une
humeur analogue à celle du croyant devant qui
des esprits critiques essaient de ramener un miracle à quelque enchaînement de lois physico-chi-
miques. Ah ! je peux ravaler sans trop de peine
l'humiliation de n'avoir pas su deviner : un
enfant n'a point de pénétration ; les apparences
sont pour lui des cuirasses que ne traversent pas
les lances de son regard, simples armes de joute.
Mais je ne puis me résigner à dégringoler de si
haut dans la banalité, je me cramponne à mon
mythe, je suis horriblement jaloux.

  Certes, je ne suis pas jaloux de votre amour,
ma mère ! Je le suis de votre attention. Je n'admets pas que vous me la refusiez. Vous disiez un
jour : « Il n'y a aucun de mes fils qui me ressemble plus que toi. » J'en étais fier, je vous savais

gré de cette ressemblance et de cette fierté — et
de cela seulement. Je sais bien que depuis lors
j'ai beaucoup changé. Toutefois, je n'y suis parvenu qu'en m'opposant à vous, ce qui reste une
manière de vous rendre hommage. Mais vous,
vous n'avez pas joué franc jeu, vous m'avez abusé.
Comme j'en rajoutais, moi qui vous prenais pour
une sorte de Kali, alors que vous promeniez simplement sur vos talons plats une bourgeoise mal-
faisante ! La magnifique exécration que je vous
avais vouée croyait trouver en face d'elle la même
affreuse chaleur. Quelle naïveté ! Je comprends
enfin pourquoi ma présence ne vous est pas indispensable, pourquoi vous avez tout fait pour m'éliminer, me rejeter de votre vue et de votre vie.
Vous me détestiez raisonnablement : vous aviez
pour moi de l'aversion, de la répulsion, de l'aigreur, de l'animosité... Le mot ne fait rien à l'affaire, et je vous laisse le soin de le choisir dans
l'interminable liste de la méchanceté. Mais vous
ne me haïssiez pas vraiment, par nécessité vitale.
Vous me haïssiez à froid, non à chaud. C'était
chez vous une attitude, une habitude, voire un
désœuvrement... Vous n'êtes pas, veuve de mon
père, beaucoup plus vivante que lui maintenant.
Faut-il vous le dire ? J'ai beau avoir changé, je me
souviens. Brasse-Bouillon se sent un peu orphelin
de votre haine.

Mais continuons à tripoter ces paperasses jusqu'au dîner.

Le cahier de moleskine est un document acca-
blant : les pattes de mouches paternelles et le
cunéiforme maternel s'y mêlent gracieusement.
Un tiers des valeurs (il s'agit comme par hasard
des valeurs nominatives, non dissimulables) sont
soulignées au crayon rouge : elles figurent à la
succession. Les autres n'ont pas été déclarées : il
s'agit de titres au porteur. Mais ce n'est pas tout.
Si nous n'avons pas trouvé la contre-lettre ou le
reçu fictif — qui n'existent peut-être pas — le
courrier de Marcel et celui de M. Guyare de Kervadec nous sont tombés entre les mains.

— Avec ça, nous les tenons ! clame mon frère
toutes les cinq minutes.

Les lettres sont en effet éloquentes. Elles confir-
ment, en noir sur blanc, tout ce que nous savions,
retracent toute la genèse de l'affaire, nous font
assister aux discussions, aux tractations menées
par notre mère du vivant même de son mari.
Aucun tribunal ne conserverait le moindre doute,
si ces lettres parvenaient à sa connaissance, et
leur photocopie intéresserait prodigieusement le
fisc. Cependant, elles nous apprennent aussi autre
chose : chacun des intéressés cherche à tirer la
couverture à soi. Les lettres les plus récentes, pos-
térieures à la vente et à la mort de M. Rezeau,
font apparaître de graves *divergences d'interpré-
tation* (l'expression est employée par M. de Kervadec). Madame veuve envisage la rétrocession
du domaine de la manière la plus simple : l'acheteur en fera donation à Marcel qui en deviendra
nu-propriétaire, l'usufruit demeurant à sa mère.

La propriété, vendue meublée, sera rendue vide ou, plus exactement, censée vide : Mme Rezeau s'octroiera ainsi les meubles, *ipso facto*. Marcel, au contraire, insiste pour que la donation comprenne aussi le mobilier : il craint sans doute que sa mère ne le vende pour arrondir sa pelote. Ses arguments, enrobés dans le miel, font valoir que, dans ce cas, les meubles « risqueraient d'être partagés » à la mort de notre mère et rappellent qu'ils font partie intégrante du domaine, « ce majorat moral ». Quant à Kervadec, il estime « plus normal » de rétrocéder *La Belle Angerie*, meubles compris, à la future communauté Marcel-Solange... Quelle cuisine ! Et je ne parle pas des textes secondaires, des hommes de loi qui interviennent gravement, de cette bande de gâte-sauce qui tournent des périodes et entendent tous présenter la meilleure recette légale. Cette correspondance a au moins le mérite de me révéler une douairière qui craint pour son douaire, qui se rebiffe mal, qui finasse, qui hésite. Il semble même que, depuis la scène du testament, elle s'affole un peu, si j'en crois Marcel qui ose lui écrire : « *Ne perdez pas votre sang-froid. Pour soutenir un tel procès, il ne faut pas seulement des preuves, il faut aussi des moyens. Or, je suis certain qu'ils ne les possèdent pas.* »

— Vous ne les avez pas, en effet ! place Monique, qui continue sa navette d'une pièce à l'autre et lance de temps en temps son grain de sel.

— Nous ne les avons pas ? Et ça, alors ? s'indigne Fred, qui se fouille, tire de sa poche le serpent de platine et le fait complaisamment sauter dans sa paume.

Cette fois, ma femme reste vissée sur place.

— Vol contre vol, dit-elle, véhémente et posant les deux mains sur son ventre distendu. En vendant ce bijou, vous vous rendez complices de la dissimulation que vous prétendez combattre... Je vous trouve extraordinaires, tous les deux ! Le premier résultat du procès sera la ruée du fisc, qui écrasera cette succession louche sous d'énormes amendes. Mais surtout votre frère et votre mère n'ont pas le beau rôle : ils vous l'avaient laissé. Vous en voilà désespérés ! Vous ne savez que faire pour leur ôter la gloire d'être les plus odieux.

Fred rempoche le bracelet, étire cette moue que prolonge une cigarette, renvoie par le nez cinq ou six jets de fumée et décolle enfin un mégot gluant.

— Odieux, odieux, bougonne-t-il... Vous y allez fort ! On se défend comme on peut. D'ailleurs, nous ne refusons aucun arrangement.

Il se dandine, me jette des regards sournois. Puis, soudain, il se redresse et prend un air important, qui me fait sourire, qui me rappelle exactement celui qu'arborait mon père en récitant les décisions de son souffleur (la moustache paternelle était tout de même plus décorative).

— Il vaudra mieux que je m'occupe seul de cette affaire. D'ailleurs, j'ai tout mon temps pour la mener à bien, tandis que tu es surchargé de travail. Si tu n'y vois pas d'inconvénient, je disposerai du butin au mieux de l'intérêt commun...

— Disposez, disposez ! jette aussitôt Monique, avec soulagement.

Sans attendre ma réponse, Fred rafle les papiers qui s'en vont rejoindre billets et bracelet dans ses larges poches. Il ne s'étonne pas de mon silence, il est habitué à voir commander les femmes. A ce détail près, je suis d'ailleurs d'accord : encore une fois, je préfère lui laisser cette sale besogne.

— Ma chère, propose encore Fred (qui m'horripile, car il affecte de s'adresser à ma femme), puisque nous avons quelque argent, je pourrais peut-être chercher un gîte convenable. Je suis un peu fatigué de cette installation de fortune.

— Je vous comprends ! fait Monique, épanouie.

XXXIII

Installé dans une confortable chambre meublée
de l'avenue des Gobelins, Fred revint d'abord nous
voir tous les deux ou trois jours pour nous tenir
au courant de ses démarches qui, à l'entendre,
avançaient rapidement. Il s'était reconstitué une
garde-robe afin d' « en imposer » et avait acheté
une bicyclette afin de « se déplacer plus économi-
quement ». Il avait l'allure et l'œil frais des briards
repus.

Puis ses visites s'espacèrent. Mon frère, avan-
tageux, daigna nous confier que l'homme n'est
pas fait pour vivre seul. De plus en plus magnifique, de plus en plus occupé par les mille soucis
dont il voulait bien me décharger, il ne jugeait
plus utile de nous en rebattre les oreilles. Les
choses suivaient leur cours, et nul n'ignore que le
cours de la justice n'est pas un fleuve impétueux.

Il ne devait pas non plus nous être très favorable,
puisque je venais de recevoir l'assignation classique, préface de la liquidation-partage benoîtement
réclamée par l'adversaire. Les Camel qui enrichis-
saient la moue de mon frère, ses cravates (qui
ne tenaient aucun compte de notre deuil), la riche
odeur de cave que dégageaient ses postillons
m'apprirent que la partie négociable du butin
avait trouvé un heureux emploi « au mieux des
intérêts communs ». Toujours frétillant, toujours
très canin, Fred nageait dans l'euphorie et lâchait
allégrement la proie pour l'ombre.

Je me gardais bien de protester, de réclamer ma
part. Je ne voyais aucun inconvénient à ce qu'il
gâchât de l'argent Rezeau. L'argent Rezeau me
dégoûtait. Pour moi, il existe deux sortes d'argent :
l'argent de fortune, fruit énorme, fruit blet des
arbres généalogiques, et l'argent de gain qui a la
menue saveur des merises. Mon allié me dégoûtait
encore plus que cet argent. Je ne pouvais plus
supporter son nez tordu, ses yeux mobiles, ses
mandibules aplaties. Je ne lui en voulais pas
d'être ce qu'il était dans la mesure où il humiliait
la famille. Je lui en voulais de ne pas être dans le
coup, de ne trouver dans cette histoire qu'un prétexte à chantage, une source de vilains profits. Je
lui en voulais surtout d'être un témoin inutile, un
complice d'occasion, un demi-frère à peine plus
frère que l'autre. Je lui en voulais parce que je
m'en voulais, car il restait lui-même après tout,
petitement cupide, lâche à souhait, incapable de
soutenir seul une lutte importante, immédiate-

ment corrompu par de provisoires délices de
Capoue. Mais, moi, je n'étais plus moi-même, qui
sonnais la retraite dès le premier succès, sous prétexte que l'ennemi était devenu indigne de mes
coups.

Pour mieux dire, je traversais une crise d'adap-
tation. Si la situation nouvelle, déjà, n'amusait
plus Fred et le laissait indifférent, elle demeurait
pour moi un problème, peut-être pas essentiel,
mais passionnant. Cette fois, le passé était plus
que passé : il était différent de mes souvenirs. Il
me fallait revivre, réemployer cette vitalité inutile
qui m'étouffait.

Évidemment, malgré le cours du platine, les
ressources de Fred s'épuisèrent rapidement. En
octobre, après une absence prolongée, nous le
revîmes soudain. Il était moins brillant. Il avait
revendu sa bicyclette, « ce sale clou », et repris
goût au Caporal ordinaire. Il nous arriva sur le
coup de midi et attendit aimablement que nous
l'invitions à déjeuner. Son enthousiasme s'était
refroidi, et il se plaignait de mystérieuses difficultés, sans en préciser la nature. Pendant une
semaine, il redevint notre quotidien pique-assiette.
Enfin, il s'enhardit et, après de savantes manœuvres oratoires, me pria de « verser ma quote-part
à la caisse de défense commune depuis longtemps
alimentée par lui seul ». Mon sourire ne le
démonta pas : comme tous les tapeurs aux abois,
il salivait avec une naïveté désarmante :

— Tu comprends, ce procès nous coûtera beaucoup plus cher que nous ne le pensions. Nous avons en face de nous des gens qui se défendent à coups de billets de mille. Le peu que nous avions ramené de *La Belle Angerie* y est passé, et j'en suis largement de ma poche. Il faut pourtant trouver des fonds pour tenir tête. Sinon, il ne nous restera plus qu'à transiger.

A quoi bon lui demander ce qu'il avait réellement fait ! Il me prenait pour un imbécile, parce que je n'exerçais aucun contrôle sur son activité, et cela seulement m'irritait, bien qu'un tel jugement jailli d'une telle cervelle fût à certains égards réconfortant. Je me contentai de me récuser, alléguant les frais imminents de l'accouchement de ma femme. Le nez de Fred s'allongea. Ses yeux montèrent au plafond, tels ceux des militaires à qui la Mère patrie refuse les crédits nécessaires au confort de l'armée, résumée par leurs galons.

— Bon, bon, fit-il sombrement. Je t'aurais cru plus généreux envers tes propres intérêts. Tant pis, je me débrouillerai.

J'eus l'indiscrétion de lui demander comment.

— Je me débrouillerai, répéta-t-il, évasif et prenant bien soin d'éviter mon regard.

Il déjeuna une fois de plus, siffla son litre et disparut — pure coïncidence — en même temps que le porte-monnaie de ma femme.

— 288 francs, conclut Monique, le plaisir d'être débarrassé de ton frère ne coûte que 288 francs. J'espère que le nouveau ou la nouvelle Rezeau vaudra plus cher.

Ce nouveau Rezeau... J'y songeais de plus en plus, avec intérêt. Ce fœtus tenait déjà de la place. Malgré le manteau vague, il gonflait insolemment le ventre de sa mère, qui commençait à descendre. Tout un rayon de l'armoire de bois blanc était consacré à ses brassières, ses pointes, ses langes taillés dans de vieilles couvertures, ses couches pour lesquelles Catherine Arbin avait sacrifié deux draps un peu fatigués et qui venaient d'arriver, accompagnées de deux paires de chaussons blancs. J'ai toujours eu l'habitude de réserver mon attention aux seuls êtres doués d'une forte présence et je m'étonnais de cet envahissement par l'invisible. Tant d'accessoires pour si peu d'existence ! Symbole parfait de la nature humaine qui, avant de vivre, mobilise déjà le monde.

Un nouveau Rezeau... Que serait-il, cet inconnu affligé du sang de ma mère et menacé par le proverbe *tel père tel fils ?* Donner une Folcoche à mes enfants, je ne le craignais plus. Mais donner un Brasse-Bouillon à Monique restait encore possible. Un enfant est un reflet, sans doute. Quelquefois un faux reflet : j'en savais quelque chose. Qu'importe ! Cet enfant devait être avant tout un enfant : c'est-à-dire ce que je n'avais pas été. Jeanne ou Jean, bien que ce prénom appartînt à la famille. Jeanne ou Jean, parce que je suis un ancêtre et non un descendant.

XXXIV

Il naît, ce premier enfant. J'attends dans le couloir
de la clinique (car je n'ai point voulu laisser ma
femme accoucher à l'hôpital, Bethléem de l'époque). J'attends, contracté, agacé par ces verres
dépolis, cet émail trop blanc, cette discrétion
glissante des infirmières, cette fraîcheur chirur-
gicale du chrome, ces relents de crémerie
bataillant contre les effluves de l'éther. Une demi-
douzaine de parturientes s'égosillent derrière les
cloisons sans parvenir à détruire le silence, et les
radiateurs entretiennent une chaleur de serre,
sans parvenir non plus à m'ôter l'impression que
la maison tout entière est bâtie en blocs de lait
gelé. Quelque part vagit le téléphone, tandis
qu'une infatigable fille de salle pousse sa serpillière sur le linoléum des couloirs.

Enfin, voici un bras, encore tout ganté par ce caoutchouc qui a la couleur des viscères, voici un nez qui se montrent dans l'entrebâillement de la porte 7, *salle de travail*.

— Un garçon. Bel accouchement pour un premier ! dit une bouche qui semble taillée dans la même matière que le gant. Vous pouvez entrer, monsieur.

Nous entrons dans une sorte de chapelle ripolinée dont la fenêtre haute a l'allure d'un vitrail. Riez bien : je suis saisi par le sentiment du sacré. Dans un angle de la pièce, il y a justement cet homme en blanc surplis qui vient d'administrer le sacrement de naissance et qui se rince les bras aux burettes modernes d'un étincelant lavabo. La sage-femme a pris la pose des nonnes qui se triturent les doigts, empaquetées dans leurs voiles. La pharmacie encense toute la pièce et particulièrement ce lit, long et miraculeux comme un catafalque de ressuscité. Il ne manque que les cierges : mais déjà s'allument en moi de courtes flammes.

— Jean ! fait seulement Monique, nullement à bout de souffle, mais toujours économe de mots ou décidée à confondre en un seul le père et le fils.

Homme brusque et surtout brusqué par toi-même, pourquoi te sens-tu si jeune, si renouvelé ? Dans cette maison où la vie se compte par jours, par mois tout au plus, un Jean Rezeau de deux cent soixante-dix mois avance très vite vers cette tache de chair, se penche sur ce Jean Rezeau qui

n'a pas deux cent soixante-dix secondes. Rangez-
vous tous ! Rien, soudain, ne m'est plus présent
que cette minuscule présence. Nulle chose plus
petite ne meuble autant d'espace avec si peu de
matière et tant de temps avec si peu d'âge. Importance inattendue de la fragilité ! Encore violet,
fripé, presque chauve, tel un petit vieux, et comme
s'il savait que la vie, par d'autres vies, remonte si
loin que toute enfance est sénile, les paupières
suintant leur nitrate d'argent, le crâne rendu
étrangement dolicocéphale par la poigne de la
matrone, qu'il est laid, le petit hibou ! Et ressem-
blant, avec ça ! Je songe aux trente mille crétins
qui lui trouveront le nez Arbin, le front de la tante
Catherine ou les yeux du beau-père. Voyez ces
trois crins noirs, qui tomberont sans doute, mais
qui repousseront plus noirs encore et bien drus.
Voyez ces grandes oreilles et la ridicule pointure
de ce menton en galoche. Le fils, vous dis-je. Le
fils ! *Celui qui n'a pas cru en mon Père, celui-là
n'entrera point dans le royaume des cieux.* Celui
qui n'avait pas cru en sa mère, celui-là ne devait
point entrer dans le royaume de la terre. Mais,
dans les deux cas, le Fils est venu nous sauver. Il
ouvre une bouche édentée, il prêche et il ne prêche
pas dans le désert, lui qui connaît l'éloquence de
l'inarticulé, lui qui engouffre l'air comme l'engou-
levent et nous le rend sous forme de cris. Excusez-
moi, docteur, je n'entends rien que ces cris, je
me fiche de savoir combien pèse la nouvelle génération et comment vous l'avez extirpé, ce chouan,
d'un ventre champenois. Bougrement viable, je le

vois bien ! Mais l'important était de savoir à quel point il serait viable dans ma vie.

Rassurons-nous. La réponse jaillit du fond de ce gosier où tressaille le grain de raisin de la luette. Adieu Bb, *vendange est faite !* Je me relève, je me retourne vers Monique, dont le sourire amusé m'embarrasse.

— Si tu étais gentil...

Mot vain, mot insuffisant ! Qui peut parler à cette heure sur le mode sucré ? Je ne suis jamais gentil, je suis impénétrable ou traversé de part en part. Traversé, voilà ce que je suis. On doit le savoir, on sourit de plus belle, on ajoute :

— ... tu me dirais merci.

Soufflons-lui ces deux mots, derrière l'oreille, dans la région des cheveux flous, là où se parfument les femmes. Soufflons-les pour lui faire plaisir, bien que je ne fasse que cela, de remercier, depuis que je suis entré dans cette pièce. Au diable, cette langue rauque de l'émotion ! Les paupières battent mieux que les lèvres, ne sombrent jamais dans le balbutiement, le zozotement, le julep. Gaillarde, je la veux gaillarde ma joie. Soyons dignes de ce braillard cramoisi, de ce nœud de bras et de jambes qui grouillent déjà fortement.

— Nous disons : le 14 novembre 1937, à quinze heures quinze, récite le médecin, qui dévisse le chapeau de son stylo et signe le certificat d'accouchement.

— Quinze heures vingt, docteur, rectifie la sage-femme, qui s'est approchée du piauleur et coud autour de son poignet un léger bracelet d'étoffe.

J'approuve cette précaution, encore que Jean
Rezeau II me semble difficilement interchangeable
et bien que ce bracelet préface la fâcheuse plaque
d'identité du futur conscrit. Mais la phrase suivante soulève mon sourcil :

— Le papa n'oubliera pas d'emporter son livret
pour déclarer l'enfant, demain, à la mairie.

Le papa ! S'il est un titre qui m'effare, c'est
bien celui-là, gnan gnan à souhait et si mal porté
dans mon souvenir. Plaisante aventure ! Voici qu'il
va me falloir trôner au milieu de mon autorité, en
jouant de la dextre. Pourtant, réflexion faite, c'est
un titre que j'enlève à l'autre génération ! Là-bas,
très loin du sourire de Monique qui s'assoupit et
dont les paupières se referment comme des ané-
mones du soir, très loin de mon acide et jeune
paternité, très loin de nous, il y a cette douairière
ridée qui a désormais droit au *mémé* traditionnel.
Gageons que ce diminutif ne lui sera pas souvent
bramé par celui-ci ni par d'autres, même nés d'un
Cropette peu soucieux de les exposer à ses haricots
rouges, ses confitures moisies et ses gifles. Peut-
être s'en moque-t-elle, mais ce n'est pas si sûr,
tout au moins en ce qui concerne le frère de
Chine ! Le châtiment s'approche qui lui retire
son curieux bonheur de tyrannie. Et nous y contri-
buons, nous, les exilés qui avons le toupet d'en
connaître un autre, nous qui professons que la vie
ne se reçoit pas seulement d'un ventre, une fois
pour toutes, mais d'un système vasculaire constamment irrigué de sang rouge.

Sous le petit flot de tulle, *dors auprès de ta mère*, sacré mouflet ! Aussi fort que tu me secoues, je t'en secouerai des berceuses ! Novembre a lâché ses vents d'ouest qui accourent du fond du Craonnais pour te saluer. Il fait frisquet dehors. Mais la chaleur qui te protège, bien bonne et bien bête, n'est pas près de s'éteindre. Tu viens de l'allumer avec ces doigts de rien du tout, ces allumettes, où l'ongle figure la pointe de soufre. Calme-toi, léger tas de hurlements, boule qui roule sur la taie, vague assemblage d'embranchements roses. Calme-toi, car il faut que je m'en aille gagner sous la pluie ta layette et tes biberons, et j'aimerais te voir immobile, gonflé par ton premier lait et ton premier sommeil. Mais si tu préfères vociférer ta faiblesse, tant mieux ! Epoumone-toi ! Tortille-toi. Nous connaissons la musique, ô mon vipéreau !

XXXV

Soir comme bien des soirs. Veillée jaune pâle,
sous le Luminator que ma femme a coiffé d'une
serviette éponge pour tamiser la lumière. Elle
brode je ne sais quel bavoir, tandis que je grif-
fonne. De temps en temps, elle s'approche de la
corbeille de linge transformée en moïse. Du côté
de la cuisine clapote la marmite à stériliser les
biberons, tandis que de la gorge de ma femme
s'échappe par instants un gargouillis d'interjections tendres.

Comme toute maternité, celle de Monique est
un peu agaçante : c'est une religion qui comporte
des rites mièvres, des mines, des gestes envelop-
pants. Il me faudra des mois, des années peut-être,
pour supporter le genre câlin, même à l'usage de
mon fils. J'ai horreur d'entendre s'effeuiller les

effusions mineures et mon oreille frémit de tout son poil quand elle entend : « Mon Zésus, mon rat-rat, il a encore bobo à son cucul ! » Certes, j'en ai pris mon parti : on ne peut pas empêcher une femme de zézayer sa tendresse ; mais je ne pourrai jamais, comme le fait la mienne, *choupiner* ce gosse pomponné, bichonné, pommadé, changé et rechangé, qui proteste contre tant de bonne grâce en inondant sa Bambinette ou en déchirant ses tétines.

Bien malin qui pourrait comprendre le grognement paternel que j'émets tous les matins, quand on offre à ma barbe encore non rasée le plaisir de carder cette peau de pêche. Il s'y mêle quelque vanité, une satisfaction bourrue d'artisan qui a réussi son ouvrage, une pointe de jalousie, un enthousiasme discret joint au souci de me conserver assez âpre pour ne pas tomber dans l'édifiant, et assez naturel pour ne pas choir dans l'autre édification, bien connue de ma jeunesse et qui s'appelle le refus.

En somme, Brasse-Bouillon fait un bon père. On peut être mauvais fils et bon père, comme on peut être bon fils et mauvais père. Compensation ou réaction, il est certain que les enfants gâtés font souvent des parents terribles, tandis que les enfants malheureux se vengent rarement sur leur progéniture. (Le fait que ma mère ait été abandonnée pendant toute sa jeunesse dans un pensionnat ne peut lui servir d'excuse. Au contraire, c'est une circonstance aggravante : elle savait ce qu'elle avait perdu.)

Travaillons. Monique continue à tirer l'aiguille, en surveillant le réveil. Les minutes passent. De temps en temps, nos regards se rencontrent, s'entrechoquent, puis reviennent se poser sur deux surfaces lisses : celle du bavoir et celle de la page.

— Chéri, murmure ma femme, j'ai oublié de te dire que l'huissier est encore venu. Tu ne pourrais pas arranger cette affaire ? J'en suis malade. Epargne-nous, je t'en prie, si tu n'es pas capable d'épargner ta mère.

— Je ne pense pas que ça dure longtemps, maintenant.

A vrai dire, je suis persuadé du contraire. Les sommations se suivent. Fred n'a rien fait du tout, c'est nous qui sommes attaqués. Puisque nous refusons de signer, Mme Rezeau et Marcel poursuivent la procédure d'usage. Ils prendront jugement, ils nous le feront signifier, nous assigneront, nous réassigneront, jusqu'à l'homologation finale et l'envoi de notre part, grevée des frais, à la Caisse des Dépôts et Consignations. Il leur faudra bien deux ou trois ans pour obtenir gain de cause, mais ils sont patients. Notre politique, en face de la leur, est assez idiote, j'en conviens. Nous avons déclaré la guerre et, laissant dormir nos canons, nous nous contentons de parer les coups. Cette pluie de papier timbré horripile Monique, rendue ombrageuse par sa maternité, et qui ne cesse d'ameuter ses bons sentiments en faveur de ma mère. En faveur de cette mère, parce qu'elle est après tout ma mère et que, lui devant la vie, je lui dois..., etc., etc. Chanson connue. Après les Ladourd, après Paule, ma femme encense le mythe, avec d'autant plus de ferveur que maintenant elle y participe.

Je ne le lui dirai jamais : ce n'est pas la mère qui est sacrée, c'est l'enfant. C'est l'enfant qui n'a pas souscrit sa vie, qui la reçoit comme un héritage impossible à refuser, sans bénéfice d'inventaire. Je dois la vie à ma mère ? La belle affaire ! Jean Rezeau numéro deux doit la vie à Monique Arbin, que j'ai un peu aidée ! J'entends bien : celle-ci est une excellente mère, elle obéit à cet instinct qu'elle partage avec l'hippocampe, la jument et la corneille. Pas sacrée pour autant, Monique Arbin, femme Rezeau ! Simplement vouée à des exigences fonctionnelles ; à une dignité fonctionnelle, si l'on veut, puisqu'une fonction devient une dignité quand elle est remplie. Tout cela est très simple, très profane, admirablement simple et profane, comme le bonheur.

Le mot vient de m'échapper. Il est bien entendu que l'amour, le bonheur, la vérité et tous autres absolus appartiennent à la même écurie que la fameuse jument : ce sont des perfections qui n'existent pas. Il faut bien parler la langue vulgaire si l'on veut se faire comprendre... On est heureux, tous les deux, compte tenu de la pelote à épingles dont j'ai déjà parlé et qui continue, et qui continuera à nous glisser chaque jour une ou deux pointes sous les fesses, si ce n'est plus. Nul romanesque en notre deux-pièces-cuisine. Nulle littérature. Moyenne, équilibre, progression du consentement mutuel, participation à la vaisselle et à l'épluchage des ennuis, déchiffrage des attentions, volonté commune de ne pas vivre un épilogue (la vie n'en comporte pas) et de ne pas vivre seulement un épisode... telle est notre définition d'un bonheur en tablier. Définition à peu près exacte, si j'ajoute un certain regret de ne pas le savoir plus brillant et une petite honte de ne point le partager avec tout l'univers, de ne point participer, sinon par l'exemple, à son expansion.

Sans doute, va-t-on me crier, comme Fred : Tu t'embourgeoises ! Pourtant, il n'en est pas question. Ce n'est pas s'embourgeoiser que d'accepter ce qu'il y a d'humain (et cela seulement) dans l'ordre bourgeois. Il n'y a pas de conformisme qui ne repose sur quelques valeurs exactes, et la grande habileté de la bourgeoisie, c'est d'avoir annexé une certaine sagesse, un certain comportement raisonnable et réfléchi, un certain nombre de qualités (elle les appelle : des vertus) qu'elle a réussi à faire passer pour siennes et qui jouent le rôle des étalages factices. Il faut dénoncer cette escroquerie en même temps que l'erreur des révoltés qui ne veulent pas trier et rejettent tout en bloc, sans se douter qu'ils fournissent des armes à un adversaire qui a l'habitude de faire donner la garde sur le terrain de la morale.

Mais j'entends d'autres voix (avec qui parfois mon orgueil fait chorus) : « Si tu ne t'embourgeoises pas, du moins tu te ranges. Tu es perdu pour la révolte, tu nous déçois ! » Je connais ces dilettantes de l'anticonformisme, qui aiment leurs pantoufles et le mystère des âmes damnées, l'art pour l'art et la révolte pour la révolte (à condition qu'elle ne bouscule point leurs prérogatives et se contente d'inquiéter celles des autres). Il est bien inutile de leur répondre que la révolte en soi n'est rien, ne mène à rien, qu'elle permet seulement de reconsidérer les valeurs à l'abri du respect, fléau de la pensée ; qu'elle doit toutefois se mettre aussi à l'abri de sa première fureur, de la frénésie de l'inversion ; qu'en définitive ce ne sont pas les révoltes chaudes, mais les révoltes refroidies qui sont les plus lucides, les plus efficaces.

Non, je ne me range pas. Néanmoins, je me méfierai. La misère, la fatigue, le temps et ces affections qui vous usent avec la patience des meules douces ont souvent raison des insurgés. Le succès, aussi : c'est même l'arme favorite de l'ennemi qui vous absorbe plus volontiers qu'il ne vous combat, afin de décourager ceux qui allaient vous imiter : « A quoi bon ! Vous voyez bien, ça ne dure pas. » Je veux durer. Je durerai. Cette inquiétude du sourcil, cette horreur du fade et du pâmé, cette réserve que j'observe à l'encontre de mes idées, de mes sentiments, de mes joies, de mes appétits, procèdent bien du vieil homme. Brasse-Bouillon m'a légué ses exigences, contrepartie de ses excès. Qu'il en soit remercié par un exil honorable ! La plus intelligente coutume des Athéniens fut l'ostracisme envers les encombrants. La dernière sédition, la plus utile, est celle que l'on soulève contre soi-même...

— A quoi penses-tu, chéri ? fait Monique, qui rompt discrètement, comme on fait d'une hostie, le silence circulaire de l'abat-jour.

Quand je vous parlais d'aiguilles ! Je déteste cet abus du « chéri » dans sa bouche humide. Je déteste cette question, cette ritournelle féminine. Répondre : « A toi » est une niaiserie ou un abus de confiance. Répondre : « A rien » est généralement faux (ce qui vous oblige à mentir), ou, qui pis est, sincère (car ceci ne plaide pas en faveur de votre intelligence). Je ne suis pas *chauve à l'intérieur du crâne*, mais je n'aime pas que ma Dalila vienne m'y couper les cheveux. D'ailleurs, présentement, je ne pense pas, je ne rêve pas, *je fais le point* comme je le faisais jadis au sommet de mon défunt taxaudier. Je le fais, avouons-le, avec plus de difficulté et moins de goût. Enfant, je pouvais me détacher de ma vie, qui n'était qu'une détestable attente. Aujourd'hui, sans me satisfaire pleinement, cette vie n'est plus une attente, mais un commencement, et je fais corps avec elle.

— Ton enquête avance ? insiste Monique, qui ne s'effare pas de mon mutisme et me lance de petits coups d'œil, entre deux coups d'aiguille.

Répondons un petit *oui* et travaillons. Il ne s'agit plus de faire le point en ce qui me concerne, mais en ce qui concerne les autres. C'est mon rôle et c'est encore le meilleur moyen de me connaître, par comparaison. Mon enquête avance, en effet. Il s'agit d'un grand papier, de mon premier grand papier. Un sujet en or ! Un reportage

sur l'enfance délinquante, offert par hasard et
sur lequel je me suis jeté. Je viens d'apprendre
bien des choses avant de les apprendre à autrui
et, notamment, ma chance relative. Rien de
tel pour transposer ses griefs et en reviser quel-
ques-uns que de se pencher sur de plus vrais
malheurs. Fait inattendu, on s'aperçoit que les
problèmes les plus irritants ne sont pas ceux où
l'on est plongé, mais ceux où l'on surnage. Je le
disais bien, je suis las d'être un cas particulier,
de monter en épingle mon moi majusculaire, ma
perle noire. J'ai toujours eu horreur de la charité
qui se fait au nom de la justice, je tremble de
penser que peut-être il y avait une part de men-
dicité dans mes imprécations : « *Faites-moi cadeau
de votre indignation, messieurs-dames !* »

Ici, rien de tout cela. Se défendrait-on mieux
en défendant ses pareils ? Depuis huit jours, j'ai
traîné dans une douzaine d'institutions, j'ai fran-
chi autant de seuils inhospitaliers. Ces enfants
m'épouvantent, mais que puis-je pour eux ? On
a tout dit à leur sujet, périodiquement ; on a tout
dit et on n'a rien dit. Ma bonne volonté ne fera
guère mieux. J'ai failli être l'un d'eux... Chut !
Mon fils dort à trois mètres et il est inutile de me
souvenir de tout cela, trop près de lui. J'ai failli
être un de ces enfants et *je sais*. Les aider ne
suffit pas, il faudrait les aimer, entendons-nous,
non pas en groupe, mais un par un, car en fait de
sentiments, c'est toujours par le singulier qu'il
faut parvenir au pluriel.

Je me suis levé, j'ai trop chaud, j'arpente la

pièce. J'ai l'impression que mon petit bonheur me
suit, qu'il s'essouffle, qu'il me demande s'il est
aussi serein que je veux bien le dire, s'il y a tellement lieu de prendre à cœur des malheurs qui ne
me concernent plus. Monique se contente de sucer
son index, à cause du gosse, et mes chaussons se
font plus discrets... Tu as raison, *mon singulier !*
Je ne sais plus hurler, mais je ne serai jamais plus
tranquille ni satisfait de moi (qui l'étais tant)
jusqu'au jour où tous mes pareils auront trouvé...
ce que j'ai trouvé dans ce petit logement. Car il
faut dire enfin ce que vous m'avez apporté, tous
deux, ce que vous m'êtes, ce que j'avais peut-être
mérité, malgré mes outrances, pour n'avoir jamais
commis le crime d'indifférence. Je vais tomber
dans le solennel que je redoute plus que la peste,
mais pour une fois je m'en moque. La femme a
racheté la mère et l'enfant de l'amour a racheté
l'enfant de la haine. Elle est loin, l'apostrophe
paternelle me reprochant d'être un « contempteur
de la famille ». De la sienne, oui. Non de toute
famille. Où prenait-il cela ? Tout au plus ai-je
douté de l'institution, entre quinze et vingt ans,
à l'âge où le nihilisme imberbe généralise hâtive-
ment. Mais puisque toute matière vivante a une
organisation cellulaire, je ne vois pas pourquoi
je décréterais que toutes les familles, toutes les
cellules sont haïssables, pour me venger de la
nôtre qui était gangrenée. Ma cellule saine, au
contraire, est ma revanche... Je sais, je sais ! Cette
revanche semblera piteuse à d'aucuns, restés attachés aux traditions des Atrides et réservant leur

ferveur sévère à la Fatalité. Pour eux, le beau malheur est encore une *grâce*, un divin privilège, du haut duquel on doit pouvoir toiser les satis-factions de la vie, cette plébéienne. Je vous entends, les sublunaires, bramer vos dédains pâles ! Je vous entends jusqu'au fond de moi-même, certains soirs où mon orgueil l'emporte. Ah ! vos gueules ! Laissez-moi vivre de ce qui vous fait crever de dépit. Vos gueules, *décréateurs* du monde !

— Tu me l'as réveillé ! proteste soudain ma femme.

J'ai dû marcher trop fort ou grogner sans m'en apercevoir. Je m'arrête et, confus, je fais le héron. Pourtant le mal n'est pas grand : la petite aiguille du réveil arrive sur le chiffre dix. Le gosse n'a même pas eu le temps de crier. Déjà il n'est plus dans son moïse, mais coincé contre sa mère. Il ouvre une bouche de carpillon pour avaler ce bout de sein trop court, un peu gercé et qui ne débite pas son décilitre quotidien. Cette tétée, avant le biberon, fait partie du rituel de Monique, catéchisée par son manuel de puériculture.

Nos pyjamas tiédissent sur le radiateur ; la housse de divan, rabattue, partage le lit en deux. C'est l'heure où les prunelles grises de ma femme s'amenuisent jusqu'à n'être plus qu'un simple trait de crayon entre les paupières. Ils sont trop ouverts, ce soir, et leurs sourcils trop rapprochés. Il est temps d'ouvrir la bouche :

— J'ai terminé mon papier. J'irai le porter

demain matin et en revenant je tâcherai de dénicher Fred à son hôtel, s'il y est encore.

Et Monique ferme les yeux, petit à petit, se met à fredonner, bat la mesure avec une savate d'où s'échappe son pied nu.

XXXVI

Fred lisait, vautré sur son lit. Je n'avais eu qu'à pousser la porte entrouverte pour entrer chez lui, au bout d'un couloir obscur greffé sur un autre couloir, fréquenté par les seuls spécialistes du sixième étage. On entendait les moineaux griffer les gouttières ; trois rondelles de saucisson se desséchaient dans un ancien porte-savon ; les frusques de mon aîné pendaient à de simples clous fichés dans les jambes de force. L'odeur, surtout, était misérable : si l'argent n'en a pas, l'absence d'argent n'en manque jamais.

Fred se détourna mollement, ne sourcilla point, me tendit une patte velue jusqu'aux ongles.

— La sombre dèche, mon vieux. J'ai dû troquer ma chambre contre une mansarde, qui n'est d'ailleurs pas payée. Mais tu arrives bien, j'allais t'écrire de venir me voir.

Il renifla, s'assit sur le rebord du lit et claironna, pour m'amadouer :

— Je crois que nous allons toucher le gros paquet !

Les commissures des lèvres, les revers de son veston, sa ceinture, ses cordons de soulier, tout se dénouait, tout dégringolait, comme lui-même, Rezeau tombé au plus bas. Je ne pus m'empêcher de l'accabler :

— Pour l'instant, 288 francs me suffiraient.

— Oh ! reprit Fred avec une candeur fuyante, tu as pu croire que c'était moi !

La dénégation, si malhabile qu'elle valait un aveu, me désarma. Je l'observais avec une insolente pitié, dont il ne s'offensait point et sur laquelle il devait compter. Son regard en dessous, son coude légèrement levé lui donnaient l'allure du Chiffe qu'il était resté, du petit garçon habile dans l'art d'amortir les coups, de lasser les nerfs, d'escroquer les pardons.

— Tu sais, reprenait-il, j'en ai une bien bonne à te raconter. J'ai vu notre mère, avant-hier...

Autre procédé Chiffe : détourner de lui l'attention en l'aiguillant sur quelque autre salopard. Cependant, Fred avait vu sa mère, Fred s'était décidé à entreprendre quelque chose. Nous allions peut-être pouvoir régler la question. Certes, il fallait douter de sa bonne foi : depuis des mois, il oscillait entre les deux camps. Il avait vu la Veuve : donc il avait essayé de traiter avec elle, sans même m'en avertir. Mais il voulait me voir : donc l'arrangement envisagé ne l'emballait pas

ou ne pouvait se faire sans moi. Sinon, je pouvais
lui faire confiance, il n'aurait pas hésité une
seconde à conclure l'affaire sur mon dos.

— Elle a commencé par me demander si ton
gosse était né.

— C'est un garçon, fis-je en passant.

— Elle s'en fout, continuait Fred sans s'arrêter
(ce qui prouvait qu'il s'en fichait autant que sa
mère), mais elle tient à connaître la date exacte
de la naissance et tous les prénoms de l'enfant.
« Bien que Jean, m'a-t-elle dit, n'appartienne plus
à la famille, Marcel veut faire figurer ces détails
sur les registres généalogiques de ton père, que
je lui ai remis et qu'il entend tenir à jour. » La
généalogie des Rezeau confiée à Marcel, fils de
Marcel... tu parles d'une rigolade !

Je reconnaissais bien là l'humour de ma mère :
« Vous avez lu mes lettres ? Voyez comme ça me
gêne ! » Toute réflexion faite, la riposte était seulement drôle. Rien de plus juste, rien de plus
significatif que cette légitimité-là. Un ami, généa-
logiste professionnel, me disait un jour : « Vous
pouvez me croire, moi qui suis payé pour fournir
des ancêtres : je n'en connais pas d'authentiques,
même quand ils sont perchés sur les souches les
plus indiscutables. Songez que dans certains
villages, il y a parfois plus d'un tiers d'enfants
naturels. Un quart, au bas mot, des hommes sont
cocus ou l'ont été, au moins une fois. A la dizième
génération, vous avez un bâtard certain et deux
probables parmi vos ascendants. La bâtardise
s'avance, couronne en tête et ne doutant point de

ses chromosomes. Or, nous portons tous un nom usurpé, nous sommes tous des arrière-petits-fils de personne. »

Je souriais, mécontent d'être content. Fred pérorait toujours, en attendant de me voir bâiller pour parler de choses sérieuses. Il se rapprochait, phrase par phrase, du sujet important.

— A part ça, j'ai cru comprendre que tout n'allait pas comme sur des roulettes à *La Belle Angerie*. Kervadec exige que la succession soit réglée avant de rétrocéder le manoir et de marier sa fille. Marcel et la vieille sont donc pressés d'en finir.

— C'est-à-dire ?

Mon frère se tortillait, reniflait de plus belle, secouait les genoux comme un gosse qui a envie de pisser.

— Il faut te dire... Enfin c'est notre mère qui a fait le premier pas, qui est venue me voir ici, à l'improviste... Oh ! ça s'est très bien passé. On ne m'a pas fait l'article, on ne m'a infligé ni scène ni laïus. Donnant, donnant. La veuve est une femme de tête, bien plus rassise, bien plus posée que notre ancienne Folcoche.

Il avait vu cela, Fred, avec ses petits yeux et il commentait, il estimait ceci, il estimait cela... Enfin, satisfaisant mon impatience glacée, il lâchait le morceau :

— Elle offre cent mille francs.

La prunelle de Fred se mit à briller. Il précisa, la bouche fondante :

— Cent mille francs pour chacun de nous.

Répugnant marché ! Pourtant, fallait-il me plaindre ? Fred aurait pu accepter tout de suite, empocher l'argent et me laisser tomber. Sa cautèle méritait un bon point...

La somme nous sera versée sous deux conditions : nous restituerons les papiers et nous donnerons notre signature, afin d'entériner la liquidation-partage. De cette façon, il n'y aura plus aucune discussion possible, même si d'aventure nous abattions d'autres cartes.

Envolée, ma petite illusion ! Retiré, le bon point ! Fred n'avait rien fait parce qu'il ne pouvait pas signer pour moi.

— Fine mouche, la vieille ! soupirait-il. Elle ne doit pas connaître exactement le compte de ses lettres, elle prend ses précautions. Pour tout te dire, j'espérais la rouler deux fois. Comprends-moi bien ! Nous n'avions pas besoin pour lui faire un procès de toute sa collection d'épîtres : trois ou quatre, les plus compromettantes, suffisaient largement. Nous pouvions les mettre de côté, lui vendre le paquet et, après avoir empoché sa bonne galette, nous en servir pour l'attaquer. Elle s'en est doutée. Dommage ! C'était le fin du fin.

Le fin du fin ! Fred en bavait, en postillonnait d'allégresse. Quel vomitif que cette salive ! De toute façon, l'impuissance, héritée de notre père et qui s'associait vainement chez lui au cauteleux génie hérité de notre mère, ne lui eût point permis de dépasser le stade des velléités ; il eût croqué ses trente deniers sans en distraire un seul. Pourtant, ses intentions le résumaient pleinement :

ces œufs de crapaud, qui ne pouvaient éclore, res-
taient tout de même des œufs de crapaud.

— Alors, qu'en penses-tu ?

— Laisse-moi réfléchir.

Encore qu'il m'appartînt, je ne pouvais encais-
ser cet argent : chantage n'est pas revendication.
D'ailleurs, je le répète, tout argent Rezeau me
semblait impur. Le peu qu'on avait bien voulu me
laisser, ma misérable part était déjà vouée dans
mon esprit à quelque achat somptuaire, plus que
superflu, résolument inutile. Accepter les cent
mille francs pour en faire don à quelque œuvre
n'eût pas manqué d'allure, mais l'humiliation
demeurerait entière, car Mme Rezeau n'en saurait
rien et croirait m'avoir acheté (une humiliation
publique ne sera jamais compensée par une fierté
privée). Il y avait bien une solution moyenne :
exiger, à titre symbolique, la chevalière de
M. Rezeau pour moi-même ou la bague de fiançailles de ma grand-mère pour Monique. Pourtant,
ne serait-ce point passer au-dessous de mon
orgueil ? Restait la grâce, l'abandon pur et simple
des documents imposé en dernière minute à la
rapacité de Fred. Mais ce geste restait un geste
et la justice n'y trouverait pas son compte :
Marcel et sa mère méritaient de perdre deux cent
mille francs, la punition était à la mesure de leur
morale. D'autre part, si les nécessités de Fred
demeuraient détestables, où prendre le droit de
lui dicter les miennes ? Mieux valait ignorer le
trafic, laisser faire mon aîné, conserver le privilège de la propreté. Comme satisfaction person-

nelle, celle-ci me suffisait, accompagnée des
honneurs de la guerre. Après tout, si mon père
m'en avait *prié*, naguère, j'eusse volontiers aban-
donné mon héritage : non pour sauver le
« majorat moral », mais simplement pour ne pas
partager l'appétit de mes frères, pour exalter mon
mépris. Je suis capable de rendre service à peu
près à n'importe quel prix quand il s'agit de
signaler mon importance et, dans cet ordre
d'idées, je rendrais service à mon pire ennemi.
La plupart des générosités s'inspirent de cette
coquetterie, plus ou moins poussée. La situation
redevenait identique à ce qu'elle aurait dû être :
un abandon au lieu d'une spoliation. Que la reine
mère vînt à Canossa mendier le royaume pour
son bâtard et tout serait dans l'ordre !

Fred attendait, la lippe et les yeux bas, écroulé
sur lui-même. Je lui allongeai brusquement une
bourrade dans le dos.

— Entendu, nous signons. Mais je ne veux pas
retourner à Soledot. Nous ferons établir par le
premier notaire venu une procuration au bénéfice
de Marcel, qui se paiera le luxe de signer trois fois
le nom des Rezeau. J'exige seulement que Marcel
et notre mère viennent la chercher, bien poliment,
à la maison. Quant aux papiers, tu leur diras que
je ne veux rien toucher. Obtiens-en ce que tu
voudras.

— Hein ? fit Fred, ahuri, mais extasié.

Dans ses orbites roulaient deux globes jauná-
tres où nageaient des prunelles sales, rondelles
de truffe dans une gelée d'aspic. Nulle estime ne

faisait papilloter la paupière, mais une sorte de pitié envers l'imbécile.

— Bien, bien, aboya-t-il, je vais téléphoner à Marcel.

Puis, s'éloignant du sujet avec la précipitation de la poule qui met•son ver à l'abri, il reprit ses commentaires :

— A propos de Marcel, sais-tu qu'il fait la loi maintenant chez les Pluvignec ? Le grand-père est complètement gâteux et si vieux, si malade qu'il ne peut pas aller bien loin. Marcel s'arrange avec la grand-mère, mitonne sa petite cuisine personnelle, rafle de substantiels acomptes à la barbe de la Veuve, qui commence à trouver qu'il lui coûte cher. Notre sous-lieutenant vient de se faire offrir une Delage...

Excédé, je reboutonnai mon manteau. Enfin je lui clouai le bec :

— Fiche-moi la paix avec ta famille. Envoie-moi un pneu pour me prévenir du jour et de l'heure du rendez-vous. Cette histoire terminée, je ne veux plus entendre parler des Rezeau.

De plus en plus limande et craignant sans doute les remords de mon portefeuille, Fred s'aplatit, jappa une série de oui-oui. Puis, reniflant soudain (reniflant l'odeur de mon potage), il se souvint qu'il était oncle :

— J'aimerais bien voir mon neveu, assura-t-il.

Le premier prétexte suffisait pour l'écarter.

— Excuse-nous, ma femme a la grippe, ripostai-je d'un ton sec.

Je le laissai sur sa faim.

XXXVII

Viendront, viendront pas ? Malgré le pneu de
Fred, Monique n'y croyait guère. Elle avait fait
la salle à manger à fond, camouflé de son mieux
ce désordre des intimités qui manquent de place,
disposé dans un vase une botte de roses de Noël.
Passant derrière ma femme, j'avais jeté sur la
table quelques journaux, proscrits à *La Belle
Angerie*. Attention délicate : il fallait bien meubler
l'attente de Mme Rezeau et de son fils, car j'étais
décidé à leur faire faire antichambre quelques
minutes, pour la bonne forme. Mais une dernière
inspection de Monique les remplaça par cinq
napperons et cinq tasses.

— Je leur fais du thé ou du chocolat ?
— Donne-leur de l'eau de Javel !
Nul moyen de m'indigner plus longtemps
contre cette assistante, qui se permettait de revoir

en dernière minute le scénario du metteur en
scène : la sonnette grelottait. Comme ma femme
ne bougeait pas, il fallut bien aller ouvrir moi-
même. Comble de malchance, il ne s'agissait pas
de Fred, mais d'un chapeau rond, véritable cloche
à air froid, à l'abri duquel se décolorait le visage
de ma mère.

— Exacte, n'est-ce pas ? Je parie bien que personne n'est arrivé.

Elle ajouta aussitôt, d'une voix moins coupante,
ébréchée par la crainte d'une humiliation inutile :

— Enfin ! Pourvu que Marcel vienne !

Ma femme avait battu en retraite et psalmo-
diait sa belle excuse, dans la chambre à côté,
assez haut pour que nul n'en ignore : « Lolo à
bébé, lolo ! » J'installai Mme Rezeau, douairière,
sur la meilleure chaise, en face des roses de Noël
qui s'assortissaient à son teint. Son assurance
semblait l'avoir quittée. Elle serrait sur son cœur
un sac à main à double bride, gonflé par ce
qu'attendait Fred, et jetait sur toutes choses un
regard en dessous. Sa gêne, cuirassée par son
silence, n'était pas de la même nature que la
mienne, mais néanmoins évidente. Quelle impiété
nous réserve le temps ! Quelle terrible chose que
de ne plus avoir affaire à des enfants, mais à des
hommes, quand on est une femme et qu'on n'est
pas chez soi, c'est-à-dire protégée par des murs,
des traditions, un décor et même par cet époux,
auguste pare-étincelles de vos nerfs ! Elle louchait
vers la porte en affectant un grand calme dédai-
gneux, elle attendait Marcel avec l'inquiétude

des grands hommes privés de leur secrétaire habituel. Il y a des dictateurs qui ne savent plus manier l'impératif ni se camper avantageusement loin des oreilles dévotes.

— Il ne fait pas chaud chez toi ! finit-elle par dire en se frottant le bout des doigts contre sa manche.

Simple contenance. Le radiateur entretenait ses quinze degrés, certifiés exacts par le thermomètre que je consultai négligemment. « Et maintenant, je veux mon petit rot », minaudait Monique derrière la cloison. Un vague sourire releva les coins de la bouche de la belle-mère : ces jeunes femmes sont d'une incroyable faiblesse envers leur marmaille ! Puis la bouche essaya de se pincer et resta coincée quelques secondes comme par une invisible épingle à linge. Vain effort. Le visage n'évoquerait plus la Gorgone : il se fendillait de plus en plus, dégoulinait, inondait le cou de gélatineuses bajoues. Le menton n'était plus qu'une galoche usée, éculée, qui s'entourait de plis comme de vieux lacets.

Dévisagée, Mme Rezeau réagissait mal, fuyait mes prunelles, laissait deux plaques rougeâtres, bien délimitées, centrées sur l'os de chaque pommette, trahir son embarras. Elle ne devait plus avoir froid, faisait maintenant mine de s'éventer avec la main.

Je l'observais toujours, amusé, lointain, incapable d'en vouloir au battement mou de ce bras qui m'avait allongé tant de gifles et qui ne savait plus que déplacer un peu d'air. Je regrettais déjà d'avoir infligé à cette vieille femme un petit supplice dont je pâtissais autant qu'elle et, lorsque retentit le second coup de sonnette, je fus satisfait de surprendre dans ses yeux cette lueur de cuivre, qui rendait enfin vivantes leurs deux taches de vert-de-gris.

Fred est entré, très vite, rasant les cloisons, terrorisé par sa propre chance. Un « Bonjour, ma mère » s'échange contre un « Bonjour, mon garçon », et Fred s'assied le plus loin possible, tandis que ma mère serre plus tendrement son sac à main.

— Fichu temps ! estime mon aîné.

Mais il faut me relever. Troisième coup de sonnette. Voici Marcel, voici le pas rapide et sec du sous-lieutenant qui a trouvé quelques minutes, cet homme pressé, cet important Rezeau, pour assister à une charmante réunion de famille. Le pardessus ouvert et balayant l'air, large et sûr de lui, il avance au beau milieu de la pièce pour être certain d'avoir assez de place. Il salue militairement, bien qu'il soit en civil : solution pratique pour rester presque poli, pour éviter de nous serrer la main. Mme Rezeau (qui, j'en jurerais, semble agacée) a droit à une attention particulière : on lui baise galamment la racine de l'index, le petit condyle du mois de juillet. Mais comme Monique, précédée par une formule de politesse, fait à ce moment précis une entrée opportune, on ne peut pas faire moins que de lui sucer très vite le bout du médius. Marcel s'assied alors sur sa forte croupe d'ancien Cropette, joue des coudes dans le vide, écarte ses jambes d'envahisseur professionnel et hausse carrément les épaules dès que notre mère, encouragée par sa présence, essaie de placer l'indispensable apostrophe.

— Je n'ai pas besoin de vous dire, n'est-ce pas, combien j'apprécie le chantage dont...

— Je vous en prie, maman, tranche Marcel. Nous sommes enfin d'accord et c'est le principal.

— Un macaron ? fait Monique qui fait circuler une assiette de petits fours.

Madame Mère siffle un merci négatif qu'elle affecte de m'adresser. Fred en prend trois ; Marcel, d'un coup de mâchoire, coupe le sien en deux, réussit un excellent moulage de ses dents et, tandis que ma femme s'éloigne vers la cuisine, propose rapidement :

— Réglons cette petite affaire. Vous avez le nécessaire, maman ?

L'essentiel est bâclé avec une louable précipitation. Fred avance sa main gauche, présente un paquet honnêtement ficelé, qui pourrait passer pour un cadeau de nouvel An.

Sa main droite rafle aussitôt la liasse que notre mère vient en soupirant d'extirper de son sac à main. De mon côté, je glisse sur la table la procuration, et Marcel se penche à peine pour vérifier les signatures. On entend un léger murmure crachoté par Mme Rezeau :

— Elle est bien enregistrée, au moins ?

L'Armée française contrôle, branle affirmativement la tête et empoche le papier timbré. C'est fini. Quand Monique réapparaît, tenant à deux mains la chocolatière, tout le monde prend un air dégagé et l'odeur de ce trafic est vaincue par celle du cacao. Mais déjà Marcel se soulève.

— Vous m'excuserez, *madame*. Je ne disposais que d'un quart d'heure.

Il manie son chapeau, enfile ses gants. Evidemment, il refuse de se commettre plus longtemps. Il va sauter dans sa Delage, dont le capot doit s'allonger devant la loge de ma concierge et faire l'admiration des gamins de la rue Bellier-Dedouvre peu habitués à en voir de semblables. Demain, à la première heure, il utilisera sa procuration : on ne sait jamais, une procuration se révoque, il ne faut guère que deux ou trois jours pour y parvenir. Après tout, il joue son jeu, et je songe qu'il est peut-être très pressé d'épouser sa Solange. J'y songe avec une sympathie agressive. Différent, inconnu, pas forcément un monstre (il faut perdre cette habitude de pousser le trait au noir), bourgeois vingtième siècle, sérieux, tenace, Pluvignec par nature, Rezeau par habitude, ce sous-lieutenant promis aux cinq ficelles sinon aux étoiles ferait un supportable demi-frère, s'il daignait s'en souvenir. Je crois que je le regretterais plus que mes hectares de *La Belle Angerie*, s'il avait seulement le tact de demander à voir mon gosse. Mais ni lui, ni Fred, qui se lève à son tour, n'y penseront. Ils ne sont pas venus pour ça. Ils ont hâte de secouer sur mon paillasson la poussière de leurs souliers.

— Je vous dépose en passant chez grand-père ? demande Marcel, tourné vers notre mère.

Chose étonnante, celle-ci ne bouge pas. Elle sirote son chocolat, que ma femme vient de lui servir et qu'elle n'a pas refusé.

— Non, souffle-t-elle, entre deux gorgées.

Elle semble hésiter. Sa tasse oscille un instant entre son pouce et son index, à mi-distance de la table et de sa bouche.

— Puisque tu seras à *La Belle Angerie* avant moi, dis donc au jardinier...

Mais l'autre main fait aussitôt un geste de dénégation.

— Non, ne lui dis rien. Je le verrai moi-même.

— Comme vous voudrez, ma mère ! réplique légèrement le nouveau feudataire, à qui la prudence semble enjoindre de ne pas faire trop tôt la loi sur son fief.

Dislocation. Ces messieurs s'en sont allés, tels des actionnaires satisfaits de l'heureuse liquidation d'une société anonyme. Nous ne nous reverrons sans doute jamais. Nous devenons des étrangers, séparés par une sorte de xénophobie qui n'est plus digne d'être une haine. Les Rezeau s'émiettent en trois clans. Celui du bâtard qui, retenant les terres, la fortune et la généalogie, prétendra conserver les traditions et — comble d'ironie — la pureté du sang. Le mien, qui n'appartient à aucune classe précise et qui va rejoindre l'immense cohorte des sans-caste que multiplie le siècle. Entre les deux, il y aura Fred, laissé pour compte, clochard distingué, fort désireux, mais tout à fait incapable de retourner en bourgeoisie, probablement destiné à « s'encanailler » comme disait mon père (mais si Fred va au peuple, ce sera honteusement, comme on va au bordel). Par veulerie, révolte ou rapacité, nous avons tous contribué à ce résultat qui menace toujours ce qu'il est convenu d'appeler une « grande famille ». Il est advenu de nous ce qu'il advient des tulipes : les variétés doubles (la bourgeoisie n'est pas autre chose que cela dans la flore sociale) finissent toujours par dégénérer.

Que Fred disparaisse ! Que Marcel essaie de prolonger, en apparence, la moribonde espèce Rezeau ! Il m'appartient de retourner à l'espèce naturelle, à l'*homo communis*. Ce faisant, je ne crois pas te nuire, ô mon fils ! L'avenir est à la grande cause des petites gens. Tu seras ce que tu vaudras. Tu ne souffriras pas de cette mentalité qui permet de transformer les moyens en mérites, la fortune en dignité, les idées en dogmes, la culture en excellence. N'ayant pas l'habitude des privilèges, tu n'en auras pas le goût. Tu n'approuveras peut-être même pas ton père qui s'est mis dans une telle situation que les détruire lui paraisse une revanche à prendre, beaucoup plus qu'une justice à rendre...

— Tu n'es pas devenu plus loquace, mon garçon !

Mme Rezeau sirote toujours son chocolat : d'autorité, elle s'en est versé une seconde tasse. Je crois savoir pourquoi elle est restée. Elle a repris de l'aplomb, elle veut me rendre la monnaie de ma pièce. Ce qui reste de Folcoche en elle ne lui permet pas de s'éloigner sans avoir un peu

sifflé, un peu griffé. Cependant, ne faisons pas de
jugement téméraire : Mme Rezeau veut peut-être
satisfaire une dernière curiosité, avant de se retirer dans sa vieillesse et son indifférence. Si le
gosse ne dort pas, je pourrai tenter une expérience. Moi aussi, j'ai mes curiosités.

— Qu'attendez-vous pour me montrer ce mio-
che ? fait soudain une voix détachée qui résonne
dans le fond de la tasse vide.

Nous sommes devancés ! Défendons-nous contre
cette tardive bouffée de chaleur. Mme Rezeau a
dit : « Qu'attendez-vous ? » Ce pluriel accepte-t-il
la midinette ? Rien pourtant ne l'indique : elle ne
lui a toujours pas adressé la parole, elle ne l'a
même pas regardée, et quand Monique lui servait
son chocolat, tout à l'heure, j'ai bien remarqué ce
geste de la main, cet « assez » réservé aux domestiques. Le « qu'attendez-vous » collectif entend me
ravaler au même niveau. Cette grand-mère réclame
son petit-fils de la même manière qu'elle se ferait
amener le petit dernier d'une de ses fermières.

Monique, qui a poussé la porte de communication, revient très vite, portant haut ce tuyau de
laine, d'où émerge une tête ronde, bouffie de sommeil. On dirait une énorme fève pour gâteau des
Rois. Mme Rezeau fait la grimace. Je suis fixé
maintenant : elle ne le prendra pas, ne l'embras-
sera pas (j'aime autant cela : les baisers de pacotille sont plus ou moins des baisers de Judas).
Elle murmure, amène et amère à la fois :

— Il te ressemble. Ce n'est pas ce qu'il a fait
de mieux.

Que voulez-vous, ma mère ! Nous-mêmes, nous nous ressemblons tellement. Il vaut encore mieux ressembler à son père que de ne pas lui ressembler du tout. Je ne vous le dirai pas, pour ne pas froisser ma femme qui respecte la filasse qui vous sert de cheveux blancs. Mais vous me devinez, bien que nous ayons perdu l'habitude de nous comprendre à demi-regard... Dépêchez-vous d'ajouter, pour qualifier l'attitude de cet enfant qui se met à brailler devant votre chapeau, cet épouvantail :

— Et il a ton caractère, avec ça !

Vous me faites bien plaisir, savez-vous, si vous croyez m'atteindre ! Décidément, vous avez oublié l'art de décocher le trait à l'endroit sensible (ou mes endroits sensibles ne sont plus les mêmes). Vous devez vous en douter devant notre souriant silence, puisque vous rectifiez votre tir.

— J'espère que vous pourrez l'élever décemment. Si j'en juge par ton intérieur, tu ne dois pas gagner lourd.

Le regard vert voltige de meuble en meuble, en palpe le bois blanc, s'accroche à la suspension, simple disque de verre, longe les murs tapissés de papier trop mince et finit par retomber sur le parquet, où les mites n'ont aucune chance de trouver un tapis.

— Ça nous suffit.! murmure ma femme, le nez fourrageant dans le cou de son fils.

— Tranquillisez-vous, ma mère, nous sommes heureux.

A ce mot qui pue la fin de film commercial, à

ce mot qui ne signifie rien pour elle ou qui souligne son plus mortel échec, Mme Rezeau est secouée d'une douce hilarité, Mme Rezeau retrouve son méprisant, son mordant pluriel.

— Vous êtes heureux ? Heureux ! Qu'est-ce que ça veut dire ?

Cela veut dire que ma mère ne l'est pas. Pour l'huître, la perle est un furoncle.

— Tu ne changes pas, mon garçon : il faut que tu plastronnes. Quand je pense à ce que tu aurais pu être et à ce que tu es, je sais à quoi m'en tenir. Heureux ! Ça alors...

Un gémissement rauque, tiré de ses plus profondes bronches et de ses plus profonds regrets, traverse la brèche de ses lèvres : Mme Rezeau ne parle plus, elle aboie :

— Ça, alors, c'est la fin de tout ! C'est la mort du petit cheval !

Suit un petit ululement qui est un rire. Peine perdue ! Le ton n'y est pas. La note est fausse, discordante : je l'avais déjà remarqué chez le notaire et je me demande si ma jeunesse, mieux entraînée, n'aurait pas décelé des couac de ce genre. De toute façon, cette aigreur est devenue mercenaire, elle défend mal une dernière tourelle : celle de la vanité.

— Mon pauvre ami, comme si nous étions sur la terre pour y faire collection de joies...

Mme Rezeau prêche maintenant. Ne l'écoutons pas. Collection de joies vaut bien collection de mouches. Ce sera mon coin de science à moi. La joie est la seule science qui n'ait jamais eu de savants attachés à sa recherche ; elle n'a que des amateurs qui la confondent presque tous avec le plaisir. Quelle est donc cette sainte récente qui disait : « Je regrette bien de ne pouvoir enlever aux putains le titre de fille de joie » ? Moi, je ne fais pas mon salut, je n'ai même pas envie de chercher un salut personnel, j'ai seulement réussi à vivre un peu de ciel, un ciel grand comme un ciel de lit. Je ne me vanterai pas de ce hasard. Il y a deux ou trois ans, je pensais encore que le comble de la volupté, c'était d'échapper seul à un péril commun.

Depuis Monique, depuis mon fils, j'en suis moins sûr. La part qu'ils m'ont laissée — la meilleure part — j'aimerais en faire grignoter quelques miettes au lion et au chacal, à Marcel et à Fred, ne serait-ce que pour les mettre en goût. Vous pensez, ma mère, à ce que j'aurais pu être ? Moi aussi. Je vous remercie. Vous m'avez donné l'occasion d'être ce que je n'aurais jamais été si, vous aimant, j'avais aimé tout ce que vous représentez. Heureusement, je ne vous aimais pas !

Je ne veux pas dire que je vous hais : ne forçons plus les mots, ni surtout notre talent. Je ne vous aime ni ne vous déteste. C'est pire ; *je ne vous sens pas*, je me sens né de mère inconnue.

Je ne vous dois rien, sauf la vie, comme le répète Monique : toutefois, ce que vous m'en avez donné et ce que vous m'en avez refusé s'équilibrent. Certes, je ne vous pardonne pas pour autant. Mais nos griefs, nos dissensions me paraissent bien lointains, bien personnels. Quelles sont ces criail-

leries de volière auprès de l'effrayant délire qui
menace de secouer l'univers ? Le vice congénital,
le vice bourgeois par excellence, c'est de n'être
vraiment agité que par le particulier.

A chacun son soliloque. Ma mère pérore toujours, aigre-douce. Elle récite des litanies d'apho-
rismes, empruntés au répertoire de mon père.
Jamais je ne l'ai vue si prolixe et pourtant si peu
convaincante. Elle s'acharne à me persuader de
ma misère, de mon ingratitude, de mon indignité.
Elle qui ne se justifiait jamais, a-t-elle besoin de
se légitimer ? Tout ceci ressemble à une pâteuse
explication de vote. S'agit-il de m'atteindre ? Si
les mots sont les seules armes dont elle dispose
encore, comme ils furent les seules armes de
M. Rezeau durant sa vie, je ne puis qu'en sourire :
le mort a enfin conquis sa veuve. Il y a quelque
chose de désespéré dans cet assaut verbal, quelque
chose de stupide comme la Tentation sur la Mon-
tagne. Chère vieille Folcoche ! Tu aurais pu me
faire beaucoup plus de mal. Il fallait me laisser
entendre que ton choix aurait pu être différent.
Ne sais-tu donc pas que j'eusse fait un merveilleux
bâtard, un vrai Cropette, au lieu et place de ce
sous-lieutenant qui t'exploite et qui ne t'aime
pas ?... Moi, je t'aurais mise dans le coup, je
t'aurais fait oublier que nous appartenions à deux
races : celle de l'homme imposé et celle de
l'homme perdu ; je serais arrivé à te rendre mère
de tous les autres, une mère sans choix, une mère,
quoi ! Je me vante certainement. Mais cette van-
tardise ne vaut-elle pas mieux, *maman*, que votre

conclusion, jetée d'une voix qui se veut sarcas-
tique, qui croit tirer la flèche du Parthe et ne lance
qu'un boomerang, déjà revenue sur vous :

— Sois ce que tu prétends être si ça te chante.
Après tout, on n'est jamais trahi que par soi-
même.

Sur ce, elle est partie, trahie par elle-même. Elle
est partie, son sac à main vide serré contre un
cœur vide. Sur le pas de la porte, elle s'est retour-
née, crochue, tassée, fébrile, presque tremblante,
et elle a enfin daigné regarder cette jeune femme
qui la dominait de toute sa jeunesse et de tout
son enfant, hissé contre son épaule. Rien ne pouvait la redresser à cette hauteur et surtout pas ce
qui l'a soutenue durant vingt ans. Je n'oublierai
pas ce regard, rongé jusqu'au nerf, cachant sa
détresse sous l'écroulement de la paupière, ni ce
suprême effort qui lui a permis de se jeter dans
l'escalier et de ricaner derrière la porte qu'elle
venait de claquer.

Par la fenêtre, je la vois s'éloigner, sinueuse,
incertaine. Vue de haut, elle donne l'impression
de ramper au fond de la rue étroite, interminable
comme le sera sa vieillesse. Les deux plumes noi-
res de son chapeau ressemblent vaguement aux
appendices de la vipère cornue... Mais que dis-je ?
Ce symbole est désuet. *Va, je n'ai plus besoin de
ta race naïve, cher serpent !* Un anneau me suffit
qui ne doit plus rien aux tiens. J'étreins mieux ce
que tu n'étreins pas. Ma force me vient d'ailleurs :
je n'en suis pas possédé, c'est moi qui la possède.

Ma force est là, saine, simplette : une grosse fève d'Epiphanie et une souveraine en tablier qui boit mon sourire avec tant de soif que j'ai envie de crier : La reine boit ! La reine boit !

Je sais, cette force n'est pas sans failles et je prévois des jours où j'aurai des absences. Pas des absences de mémoire. Des absences d'oubli. Une voix, qui a ce travers, me soufflera : « A quoi penses-tu ? » et je ne répondrai pas. Mais si, malgré moi, je t'évoque, ô ma jeunesse, je ne t'invoquerai plus. Tu ne t'effaces pas, tu t'estompes comme cette femme qui n'est plus qu'un point noir au bout de la rue, qui lutte contre une rafale et qui semble emporter l'hiver avec elle.

Villenauxe,
décembre 1949-août 1950.

ŒUVRES DE HERVÉ BAZIN

Aux Éditions Bernard Grasset :

VIPÈRE AU POING, 1948.
LA TÊTE CONTRE LES MURS, roman, 1949.
LA MORT DU PETIT CHEVAL, roman, 1950.
LE BUREAU DES MARIAGES, nouvelles, 1951.
LÈVE-TOI ET MARCHE, roman, 1952.
HUMEURS, poèmes, 1953.
L'HUILE SUR LE FEU, roman, 1954.
QUI J'OSE AIMER, roman, 1956.
LA FIN DES ASILES, enquête, 1959.
PLUMONS L'OISEAU, 1966.
CRI DE LA CHOUETTE, 1972.

Aux Éditions du Seuil :

AU NOM DU FILS, roman, 1960.
CHAPEAU BAS, nouvelles, 1963.
LE MATRIMOINE, roman, 1967.
LES BIENHEUREUX DE LA DÉSOLATION, roman, 1970.
JOUR, *suivi de* A LA POURSUITE D'IRIS, poèmes, 1971.
MADAME EX, roman, 1974.

IMPRIMÉ EN FRANCE PAR BRODARD ET TAUPIN
7, bd Romain-Rolland - Montrouge - Usine de La Flèche.
LIBRAIRIE GÉNÉRALE FRANÇAISE -
ISBN : 2 - 253 - 00686 - 6